COCO CHANEL

MARCEL HAEDRICH

COCO CHANEL

ÉDITIONS GUTENBERG

À mon ami, Hervé Mille

ISBN : 978-2-35236-040-7

Si vous voulez recevoir notre catalogue
et être tenu au courant de nos publications,
envoyez vos nom et adresse aux Éditions Gutenberg,
33, boulevard Voltaire, 75011 Paris
www.editionsgutenberg.fr

Et, pour le Canada, à Édipresse Inc.,
945, avenue Beaumont,
Montréal, Québec, H3N 1W3

Prologue

J'AI FAIT la connaissance de Mademoiselle Chanel en 1959 ; elle avait soixante-seize ans. En le précisant, je pense à Louise de Vilmorin qui m'admonestait :

« Ne dis jamais l'âge d'une femme. »

Coco parlait vite ; il fallait s'habituer à sa voix sourde. Je la trouvais agressivement maquillée, des lèvres trop rouges, des sourcils trop noirs, trop larges. Elle fut d'abord cela pour moi, une *vieille*, outrageusement fardée. Je ne pouvais m'empêcher de penser à ma mère ; elle avait deux ans de plus qu'elle et, parce qu'elle m'intimidait (à quarante-cinq ans !), je me demandais ce que je fichais chez Coco Chanel, moi, le Munstérien de Munster, qu'elle observait, dans lequel elle se reconnaissait un peu, ce qui explique qu'elle m'ait fait si rapidement confiance.

J'ouvrais les yeux, et plus encore les oreilles. En entrant chez elle, on avançait dans un monologue. Elle disait : « Chaque jour je simplifie quelque chose parce que j'apprends quelque chose. Quand je n'inventerai plus rien, je serai foutue. » Et aussi : « Je ne sais même plus si j'ai été heureuse. Je n'ai plus qu'une curiosité, la mort. »

En parlant, elle me piquait sous son regard comme un insecte sous une épingle :

« Vous écoutez ? Vous m'entendez ? Ce n'est pas du bruit qui tombe de mes lèvres sanglantes, j'ai beaucoup à dire. On ne m'accorde pas l'attention que je mérite. Asseyez-vous près de moi, nous serons amis. »

Que sait-on de la tour Eiffel ? Je visitais un monument. Un lion de la Belle Époque avait ramené Coco du fond de sa province à Paris, elle avait tiré les femmes de leurs gaines Parabère pour les mettre en jersey et en tweed. Le duc de Westminster l'avait couverte de perles et d'émeraudes. Je ne pouvais pas ignorer ça, je m'en fichais à vrai dire. J'étais alors rédacteur en chef de *Marie-Claire*. Je m'occupais peu de la mode, j'écoutais bouche bée Hervé Mille, le bras droit de Jean Prouvost, « le Patron », en exposer les mystères, les beautés, et rien de tout cela ne me paraissait très sérieux. Pendant cinq ans, je venais de parcourir le monde comme « grand reporter » et, sans en être très conscient, je commençais à assimiler ce que j'avais ingurgité entre Washington, Berlin, Tokyo, Marrakech et Téhéran, quelque chose de très simple, en vérité : les hommes et les femmes sont partout les mêmes. Ce qui n'empêchait pas Coco d'être tout à fait exceptionnelle, on le comprenait très vite.

Depuis le retour de Mademoiselle Chanel, Hervé Mille ne cessait de rompre des lances pour elle, non sans risques. Le Patron n'aimait pas tellement Coco ; on l'entendait nasiller qu'elle faisait des robes pour institutrices.

Coco Chanel ! Je me trouvais chez elle, dans son salon privé, la caverne d'Ali Baba avec les trésors de Golconde, des paravents de Coromandel (elle en a eu des dizaines), de la nacre, de l'ébène, de l'ivoire, des biches (grandeur nature) et des lions de diverses tailles (elle était née Lion), plein d'or, du cristal en boules, un parfum de tubéreuse, c'était Byzance et le palais impérial de Pékin, l'Égypte de Ptolémée avec des reflets de la Grèce dans les miroirs de la cheminée, une Vénus du IVe siècle flanquée d'un sanglier fantastique, un aérolite tombé sur la Mongolie il y a des millénaires, tout cela gravitant autour de la Grande Mademoiselle, animé, commandé, contrôlé par elle, pauvre chose écrabouillée sur le divan de daim clair, et qui levait vers vous des yeux blessés – ou blessants.

Vivre là ? Je me posais la question au Vatican. Dans les appartements des Borgia, je me demandais si le pape conservait sa calotte pour se raser. Chanel, chez elle, ne retirait jamais son chapeau, en visite elle aussi dans le musée Chanel. Ce jour-là, c'était un chapeau de paille plat avec un large bord. Un gros bijou piqué devant. Son tailleur était presque blanc, coupé dans un tissu léger, avec un vague reflet d'or. Ma description ferait sourire mes dames de *Marie-Claire*. Coco allumait alors une cigarette après l'autre. Elle ramenait sa jupe sur ses genoux, joliment ronds, une jupe portefeuille dont, inlassablement, elle posait et reposait les coins l'un sur l'autre, en laissant pendant quelques minutes ses mains dessus.

Le valet de chambre apporta des fleurs. Elle fit la grimace, après un coup d'œil sur la carte : Avedon, le célèbre photographe.

Une moue tordit sa bouche. « Au cimetière ! »

Elle fit porter la gerbe dans une pièce voisine. « Je garde les fleurs des gens que j'aime bien, même fanées. »

Où ? Je regardai. Rien. Des cachets sur la table, des boîtes de pastilles vitaminées. Avedon assurait un reportage pour *Harper's Bazaar*[1], des modèles portés par Audrey Hepburn, illustrant un scénario écrit par Truman Capote. Pour l'Amérique, la mode de Paris restait un événement. Oh ! il s'en était fallu d'un cheveu. Pendant l'Occupation, les Allemands, on le verra, songeaient à transférer Paris à Berlin, pour ça, pour la Mode, pour la Haute Couture, et, bien entendu, il ne manquait pas de gens à Paris pour les encourager.

Après la Libération, quelque chose d'analogue s'est joué avec les Américains. On s'était passé de Paris

1. Un grand magazine de mode américain, concurrent de *Vogue*.

pendant cinq ans, pourquoi y retourner ? Les costumiers d'Hollywood, comme Adrian, ne valaient-ils pas les créateurs parisiens ? Ne pourrait-on pas s'habiller à New York ? C'était loin, Paris, on y allait encore en bateau. Les grandes prêtresses de la *high fashion* que j'ai connues grâce à Pierre Balmain, un ami d'enfance découvert au Tabou, apportaient leurs draps, leurs brosses à dents, une réserve de lait, persuadées qu'on ne trouvait plus rien en France après l'Occupation allemande. Pourquoi revenaient-elles ? Le *new look* de Dior les forçait à repasser l'Océan pour reprendre l'*abc* de l'élégance toute parisienne. Balmain me l'expliquait avec une moue : le *new look* n'était rien d'autre que la robe de cocktail d'avant-guerre, une taille de guêpe, pas d'épaules, la jupe allongée, évasée, un petit truc sur la tête… Il dessinait en parlant. Pas du tout une création, tout au plus un aboutissement. Ça me paraissait fou, un homme de mon âge qui faisait des robes. À New York, pour expliquer le *new look*, Christian Dior remontait son pantalon sous le genou. Quand le vent soulève une jupe, c'est plus agréable à regarder, bougonnait Balmain. Ce n'est pas un métier pour des hommes, grinçait Coco, pour tripatouiller des femmes dans une cabine de mannequins, il faut être un eunuque.

Deux fois par an, *Marie-Claire* analysait les oukases des couturiers avec une rigueur bouffonne : le col, les épaules, la longueur, la taille, la poitrine, que sais-je encore ; les décrets tombaient des lèvres de nos dames, il fallait s'y conformer. L'élégance dépendait d'un ourlet. Pourtant, quand j'ai connu Chanel, il était clair que rien de tout cela n'avait plus le moindre sens puisque le style Chanel avait déjà tué la mode.

Tu mets ton Chanel ? Elle n'a pas seulement donné son nom à un costume ; après son style, elle a eu sa longueur ; le raisonnable et la décence (dans la mode) sont désormais *chanel.* Lorsque ma femme s'habille chez vous, je suis rassuré, disait le président Pompidou à Mademoiselle Chanel. Elle est partie avec la certitude d'être une morale, et cela fut confirmé par un prêtre, avec de l'encens et de l'eau bénite, lors de sa dernière halte parisienne à la Madeleine. Elle disait : « La légende consacre la célébrité. Les gens qui ont une légende *sont* cette légende. »

C'est pourquoi elle donnait des soins acharnés à la sienne, créant beaucoup de confusion : je ne suis plus celle que j'étais, je resterai celle que je suis devenue, voire celle que je deviendrai. Pourquoi pas ? C'est une volonté émouvante, que l'on accepte pour les hommes politiques, les écrivains, les généraux. Chanel, création Chanel, est née de ses mains, pétrie dans son argile. *Existentielle*, en quelque sorte.

On oubliait son âge, on se laissait prendre par son regard de mendiante exigeante. À un ou deux kilos près, elle pesait le même poids qu'à dix-huit ans. Lors de notre première rencontre, en dînant, elle avait parlé d'un jeune Américain venu pour une interview, un grand garçon serré dans un veston avec trois boutons. Son nom, quand on l'avait annoncé, rappelait à Coco des amis négligés lors d'un voyage à New York, des gens ennuyeux mais qu'elle aimait bien. En recevant cet homonyme, elle effaçait un remords :

— Vous êtes le fils de… Non, aucun rapport. Bien. Asseyez-vous, monsieur. Que voulez-vous savoir de moi ?

— Mademoiselle, un ami et moi révolutionnons l'art des interviews. Nous ne posons que trois questions, pour tout savoir.

— Voilà qui n'est pas mal.

— Acceptez-vous de répondre, mademoiselle ?

— Je ne sais pas encore. Commencez, je suis pressée.

— Quel âge avez-vous ?

— Ça ne vous regarde pas.

— Ce n'est pas une réponse, mademoiselle.

— Vous avez raison. Je vais donc vous dire que mon âge dépend des jours et des personnes avec lesquelles je me trouve.

— Voilà qui me convient parfaitement.

— Attendez, monsieur. Lorsque je m'ennuie, je me sens très vieille et comme je m'ennuie énormément avec vous je vais bientôt avoir mille ans si vous ne foutez pas le camp immédiatement.

Je m'amusais beaucoup avec un magnétophone dont un dessinateur américain m'avait fait cadeau ; une nouveauté à Paris, il pesait au moins dix kilos. Je proposai à Coco d'enregistrer nos conversations ; elle se montra réticente.

— Je raconte n'importe quoi.

J'allais souvent la voir, je m'habituais à son maquillage, je l'écoutais attentivement. Des glaces sont brisées entre nous, devait-elle me dire alors que je la ramenais au Ritz. Un soir, je la trouvai endormie sur son divan, le chapeau tiré sur les yeux, les mains jointes sur l'estomac avec un pouce accroché à son collier. Que faire ? J'avais frappé. J'entendais du Wagner. Des verres partout. C'était après une présentation, je l'avais félicitée, je revenais à sa demande pour un dîner en tête-à-tête. Des mégots, l'odeur du champagne tiède. On n'avait pas débarrassé pour ne pas la réveiller. Elle se redressa en ramenant ses jambes, les talons sous les fesses ; en même temps elle tirait sur sa jupe pour recouvrir ses genoux ronds.

— Voilà, mon cher, la célébrité c'est ça : la solitude.

Chaque soir, au moment de se coucher, elle titubait devant un précipice. Le sommeil, la mort, quelle différence ?

— Il est tard, Coco.

Elle n'entendait pas, elle accélérait son monologue.

— Vous ne croyez pas qu'il faudrait...

Elle se levait.

— Il y a du travail, demain.

Elle ajustait son foulard, elle arrangeait son chapeau. Elle se rasseyait, rouvrait son sac pour en extraire une cigarette, ou pour y glisser une lettre, une boîte de vitamines, elle reprenait ses lunettes, trois paires, pour lire, pour le cinéma, pour voir de loin, elle soufflait dans son fume-cigarette, comptait des billets de 10 francs neufs, pliés en quatre, pour ses pourboires. La lettre... je l'ai prise ? Elle la sortait de l'enveloppe, lisait le début, la glissait à nouveau dans l'enveloppe. Moi debout, allez, Coco, allez, mademoiselle, il est très tard. Il fallait la tirer vers la porte, pas après pas. Un imperméable sur le fauteuil, dans l'entrée. Elle le passait, s'engageait dans l'escalier, s'arrêtait à l'entrée des salons, toujours en parlant, en monologuant, en tétouillant une cigarette, avant de descendre le grand escalier aux miroirs, avec des haltes toutes les trois ou quatre marches. Le concierge attendait pour verrouiller la porte derrière elle. Dans la rue, jusqu'au Ritz, d'autres arrêts, des plaintes, des récriminations, des confidences, et enfin, la dernière station devant le tambour du Ritz où elle paraissait résolue à passer la nuit sans donner le moindre signe de fatigue ; moi, les jambes dans le corps ! On la quittait épuisé. En rentrant, je prenais des notes.

La transcription du premier enregistrement au magnétophone me paraissait admirable. La Grande Chanel racontait son enfance malheureuse, sa naissance à l'hôpital, la mort de sa mère, ses jeunes années chez deux tantes marâtres, la première robe coupée par une couturière auvergnate, tout, tout !

— C'est merveilleux, Coco, tout ce que vous m'avez confié.

Elle avait commencé à lire, elle me regardait, stupéfaite.

— Vous n'avez lu qu'une page. Il faut continuer.

Elle s'y remettait et puis :

— Mais qui donc vous a raconté ces idioties, mon cher ?

Un grand moment de ma vie. Pour reprendre une expression Chanel, j'étais sur mon derrière. Je croyais tenir un formidable *close-up* pour *Marie-Claire*. Zéro. Pas une ligne ne parut.

— Si une chose n'intéresse personne, disait Coco, c'est bien la vie de quelqu'un. Si j'écrivais un livre sur ma vie, je commencerais avec aujourd'hui, avec demain. Pourquoi l'enfance, pourquoi la jeunesse ? Il faut d'abord donner son avis sur l'époque dans laquelle on vit, c'est plus logique, plus nouveau, plus amusant.

Une autre confidence éclaire ce propos :

— Je parle en maximes, j'en ai écrit des centaines.

Elle m'en avait lu quelques-unes, choisies parmi des « tas d'autres » ; elle y avait consacré son dimanche, pour moi, affirmait-elle. Je n'avais pas prêté grande attention à cette lecture, j'attachais moins d'importance à ces (prétendues) maximes qu'aux (excellents) souvenirs de Coco. Elle voulait me donner le ton sur lequel il convenait de parler d'elle. Voltaire faisant le portrait du roi de Prusse, La Bruyère, La Rochefoucauld tissant l'éloge du Roi-Soleil, voilà, c'était la musique dont elle rêvait pour accompagner sa réussite, le grand opéra qu'elle souhaitait laisser. Je l'ai compris en réécoutant les maximes sur le magnétophone, après sa mort :

Le bonheur consiste à réaliser sa pensée. On peut poursuivre la pensée après la vie pour la réaliser dans la mort.

Hé ! pour moi, c'était bon, ça collerait : un message d'espoir. Elle lisait d'une voix grave.

Sauf pour les choses matérielles, nous n'avons pas besoin d'avis, mais d'approbation.

Ou encore :

Pour ceux qui n'entendent rien à l'art, la beauté s'appelle poésie.

Pensait-elle à Cocteau en l'écrivant ? On n'est pas ébloui. Elle-même ne paraissait pas convaincue ; c'était mon approbation plus que mon avis qu'elle cherchait.

J'ai sûrement des défauts et des faiblesses mais c'est par ce que j'ai de meilleur en moi, le goût de la justice et de la vérité, que j'ai irrité mes amis et provoqué leur colère.

Et ceci, de la même encre :

Toute supériorité est en principe isolante. Elle force à choisir ses amitiés et ses relations.

— Je devais beaucoup m'embêter en Amérique quand j'écrivais ça, remarqua-t-elle.

Elle avait précisé que ces maximes étaient nées à New York chez son amie (et cliente) Maggie Van Zwuylen. Elle lut encore :

La plus grande flatterie d'un être à un autre, c'est la volupté et seulement la volupté, parce que la raison n'y a pas de part et qu'il ne peut être question de mérite, et que cela s'adresse non pas à la qualité de l'être mais à l'être lui-même.

— Pas mauvais, ça, avait-elle remarqué, parfois j'écris des choses qui m'épatent moi-même.

J'étais moins *épaté*; cependant cette pensée pompeuse, prétentieuse, éclaire, on le verra, le comportement amoureux de la Grande Mademoiselle. Comme Monsieur Jourdain, elle avait son maître de philosophie, le poète Reverdy, qu'on retrouvera sur son parcours. Je la trouvais meilleure et infiniment plus convaincante dans son registre habituel, avec ses vérités instinctives qui sifflaient sans qu'elle se souciât de les mettre en forme. « On s'accoutume à la laideur, jamais à la négligence. » Voilà du Chanel. N'empêche que l'effort qu'elle s'imposait pour parler comme La Rochefoucauld ou La Bruyère méritait sans doute plus d'attention que je ne lui en accordais:

Un saint dans le monde n'est pas plus utile qu'un saint dans le désert. Si les saints qui vivent dans le désert sont inutiles, ceux qui vivent dans le monde sont souvent dangereux.

Une mise en garde qu'elle s'adressait à elle-même en pensant à Reverdy, retiré dans un monastère ?

La crainte de Dieu empêche de pécher ceux qui ne le veulent pas très fort ou qui ne sont pas en état de le faire. Les trésors de la miséricorde divine rassurent même ceux qui ont lieu d'espérer qu'ils y participeront comme les autres.

Elle parlait volontiers de Dieu, disons du divin. Voici les dernières pensées, très courtes et bien meilleures, qu'elle lut avec un éclat de rire:

Mes amis, il n'y a pas d'amis.

Et ce finale:

Puisque tout est dans la tête, il ne faut pas la perdre.

On la retrouve.

Elle disait :

« On m'a souvent demandé d'écrire ma vie. Ça finit par des bêtises. J'ai été embêtée par plusieurs garçons. L'un se droguait. J'en ai rencontré un très gentil. Je lui ai dit :

— Essayons.

J'ai compris après un mois que ça ne marcherait jamais. J'habitais la campagne. Il venait, on s'entendait bien, il m'amusait, j'écrivais un peu. Je lui donnais des textes qu'il reprenait, mais pas du tout comme je le souhaitais. Je ne comprenais pas qu'un garçon dont c'était le métier d'écrire fît de telles horreurs avec les textes que je rédigeais pour lui. Je lui donne un texte long comme ça, il le rend : il n'en reste rien, pas même l'esprit. J'en ai conclu que c'était impossible. Il faudrait que je fasse tout moi-même.

Vous dites que vous êtes là pour m'écouter. Je n'aurai jamais la patience d'aller au bout, parce que moi, ça ne m'intéresse pas, ça ne me passionne pas.

Vous voulez faire un article ? Comment le voulez-vous ? Dans quel genre ? Je ne vous l'écrirai pas, je vous aiderai. J'indiquerai ce qui me semble important. Vous me poserez des questions sur ces points-là. Je répondrai. Je sais travailler, je suis disciplinée. Je fais ce que l'on me demande quand j'en ai envie, mais si je n'en ai pas envie, personne, jamais, ne m'y forcera. »

Je l'ai écoutée, enregistrée pendant douze ans, de 1959 au début de 1971. Sans querelles, avec des interruptions, des séparations. Elle me le reprochait :

« Ça me fait du bien de parler avec vous, ne m'abandonnez plus si longtemps. »

Elle mendiait :

« Ne me laissez plus tomber. »

Elle se trouvait au sommet de la réussite quand je l'ai connue, le deuxième sommet si l'on veut, le *come-back*, mais n'était-ce pas le plus élevé ? Quelque chose avait changé, par rapport à l'avant-guerre : les médias, devenus plus importants[1]. Elle était Coco Chanel pour un plus grand nombre de millions de personnes, et le savait. Mais elle était aussi de plus en plus seule. On en découvrira les raisons. Il y eut le phénomène du mini, une mode, anglaise par surcroît, qui, loin de descendre des salons dans la rue, affolait les salons en remontant de la rue. On peut se demander si, avant la guerre, elle aurait résisté à ce raz de marée. Elle fut malmenée et elle en souffrit mais, la vague passée... C'est alors que j'ai commencé à tenter de comprendre vers quoi, vers quelle vérité elle progressait.

Une légende Chanel ?

« La légende est la consécration de la célébrité », disait-elle.

Pour broder la sienne, comme Pénélope, elle défaisait la nuit ce qu'elle venait de broder pendant la journée. Pour qui ? Pour quel Ulysse ?

---

1. *Samedi Soir*, que j'animais à la Libération, fut le premier hebdomadaire d'information à s'intéresser à la mode et aux couturiers, traités comme des vedettes de l'actualité.

Coco se fabrique une enfance avec des romans-feuilletons

UNE HEURE après sa mort, le secret le plus jalousement gardé par Mademoiselle Chanel, celui de la date de sa naissance, était trahi par la presse du monde entier. On ne pouvait plus ignorer nulle part qu'elle était venue au monde à Saumur, le 19 août 1883. J'ai tenu entre les mains un certificat délivré par la mairie : le nom du père, Chasnel, avec un s. La mère : Eugénie Jeanne Devolle. L'année, 1883, maquillée, avec un 9 à l'encre violette par-dessus le second 8, à l'encre noire : 93 pour 83, c'était touchant. Les parents : marchand et marchande, domiciliés à Saumur. Mariés. Mais l'étaient-ils déjà ? Quelle importance ? Edmonde Charles-Roux[1] a retracé la généalogie Chanel jusqu'à l'ancêtre Adrien, d'un estaminet de Ponteils, un bourg des Cévennes. La crise de la châtaigne en fit un marchand ambulant, un *passant*, précise Edmonde – que j'ai connue quand elle dirigeait la rédaction de *Vogue* (l'édition française). Je lui avais commandé pour *Marie-Claire* un savoir-vivre adapté à l'époque. Commentaire de Coco :

« Mon cher, vous êtes fou. Vous la connaissez bien ? Pourquoi a-t-elle l'air si méchante à la télévision ? »

Elle avait vu Edmonde, à la présentation, dans quelque chose « d'immonde ». Il faut entendre : dans une robe d'un autre couturier.

— Pourquoi portes-tu cette horreur ?

— On me l'a donnée.

1. Auteur de *L'Irrégulière ou mon itinéraire Chanel*, Le Livre de Poche.

— Raison de plus pour ne pas la mettre.

Adrien Henri Chanel fonda la dynastie en séduisant une demoiselle Angelina Virginie Fournier, seize ans, et cela donna (avec bien d'autres enfants) Albert Chanel, le père de Coco, un don Juan qui s'offrit une demoiselle Jeanne Devolle. Insouciant et volage, mais contraint de reconnaître l'enfant qu'il lui avait fait (prénommée Julia, la sœur aînée de Coco), Albert entraîna Jeanne à Saumur où – c'était en 1882 – se produisaient des événements prodigieux. Les centaures du Cadre Noir adoptaient le trot enlevé et les selles anglaises. Albert vendait des flanelles de corps sur le marché de la Bilange. La pauvre Jeanne, elle, gagnait un peu d'argent en faisant des ménages ou comme fille de cuisine. Alla-t-elle jusqu'à accepter « les tâches honteuses qui s'offrent dans les rues douteuses » ? Mme Charles-Roux n'est pas affirmative. Ouf ! Elle laisse aussi planer un doute sur la naissance de Coco. On n'est pas certain qu'elle soit venue au monde dans le bureau des entrées de l'hospice-hôtel-Dieu. Des témoins, des vieux de l'hospice, ont confirmé sa naissance en signant d'une croix les registres de l'état civil.

Coco allait sur ses douze ans quand sa mère mourut d'épuisement, à trente-trois ans. Son époux ? En voyage. On le rappela. Jeanne était enterrée, il avait cinq enfants sur les bras, deux garçons, trois filles. Il confia les garçons, Alphonse et Lucien, à l'Assistance publique et se rendit chez sa mère avec les filles, Julia-Berthe, Coco et Antoinette. La mère, Virginie Chanel, née Fournier, avait une ribambelle de mioches dont la plus jeune, Adrienne, n'avait que deux ans de plus que Coco.

— Maman, je te laisse les petites, je vais chercher un paquet de tabac.

On peut penser que c'est de cette façon qu'Albert Chanel, le père de Coco, abandonna sa famille. Pour rejoindre une maîtresse qui l'attendait au bout de la rue avec une voiture de forains ? On l'a dit. J'entendrai Coco parler d'un garçon de son âge fait par son père à la rivale de sa mère ! Voici comment elle m'a raconté ses jeunes années :

« Je ne m'appelle pas Gabrielle[1]. Je pourrais m'appeler Gabrielle. Je suis née dans un hôpital tout à fait par hasard.

Mon père n'était pas là. Cette pauvre femme qui était ma mère s'est mise en route pour le rejoindre. Je ne veux pas raconter cette sombre histoire parce qu'elle est très ennuyeuse. Moi, on me l'a racontée tant de fois…

Ma mère a été prise de malaises. Avec la mode de l'époque, on ne voyait pas très bien que cette dame allait faire un enfant. Des gens très gentils l'ont ramenée chez eux.

— Je dois retrouver mon mari, disait ma mère.

— Vous partirez demain, ont dit ces gens.

Ils ont fait venir un médecin qui a déclaré :

— Cette dame n'est pas malade, elle va accoucher.

Pris de fureur, ces gens si charmants ont jeté ma mère à la rue. On l'a emmenée à l'hôpital où je suis née. À l'hôpital, on vous baptisait tout de suite. On m'a donné le nom de la religieuse qui s'occupait de ma mère. Elle s'appelait Gabrielle Bonheur. Ce sont mes prénoms. Je l'ai appris par mon acte de baptême, très longtemps après. Mon cher, on n'a jamais besoin d'un acte de baptême mais, pendant la guerre, parce qu'on mourait de peur, on faisait venir tous ses papiers. C'est alors que j'ai eu ce document.

Mon père m'appelait Petit Coco. Il mourait de peur qu'on m'appelle Gaby. Petit est parti, Coco est resté. Je me suis toujours appelée Coco. Naturellement, je

1. Si, c'est son prénom pour l'état civil. Elle veut dire que ce prénom n'a pas été choisi par les siens et qu'elle le doit au hasard.

ne signe pas Coco les papiers sérieux, ce serait une rigolade.

On m'aurait fait rire si on m'avait dit avant la guerre qu'on m'appellerait Coco Chanel. Mademoiselle Chanel employait quatre mille ouvrières et elle était aimée par l'homme le plus riche d'Angleterre. Maintenant je suis Coco Chanel. Coco ! Ça n'est pas mon nom, quand même. Mes amis peuvent m'appeler Coco. On m'arrête dans la rue : vous êtes Coco Chanel ? Quand je signe des autographes, je signe Coco Chanel. L'autre semaine, dans le train de Lausanne, tout le wagon a défilé. Chez moi, on m'appelle Mademoiselle, naturellement. Je ne veux quand même pas qu'on m'appelle Coco dans la maison Chanel.

J'avais six ans quand ma mère est morte[1]. Mes tantes sont venues. Quand quelqu'un mourait dans une famille, on venait pour tout examiner. Je n'ai pas compris que mes tantes faisaient un marché pour m'emmener. Ces tantes n'étaient même pas les sœurs de ma mère, seulement des cousines, c'étaient des personnes assez bonnes mais pas tendres. Elles regrettaient d'avoir accepté de se charger de moi dans un moment d'émotion. Tout de même, je leur dois beaucoup. »

Ces deux tantes, que Coco ne nommait jamais, occupent une grande place dans ses souvenirs. Nous savons maintenant que la grand-mère, Virginie Chanel, à qui le père de Coco confia ses trois filles à la mort de leur mère, lavait et repassait du linge pour des religieuses. Cela lui permit de placer Coco à l'orphelinat d'Obazine. Pour retrouver la vérité de Coco, il suffit de remplacer les *tantes* par les bonnes sœurs de l'orphelinat.

---

1. Elle en avait le double, comme on l'a vu.

« À six ans, j'ai été abandonnée, jetée dans une nouvelle vie, chez des gens qui ne m'aimaient pas. Ils s'étaient engagés à m'élever, pas à m'aimer. Ça vous fait une vie dure, surtout dans une province reculée. On a raconté que je pleurais chez mes tantes parce qu'elles m'appelaient Gabrielle. Je n'étais pas commode. En entrant un jour dans la pièce où elles se tenaient, j'ai refermé la porte en la repoussant avec le pied.

— Gabrielle, dit l'une de mes tantes, tu vas ressortir et rentrer bien poliment sans taper la porte.

Je suis ressortie, je suis revenue, mais je n'arrivais pas à fermer la porte convenablement. J'ai éclaté en sanglots.

— Pourquoi pleures-tu si fort, Gabrielle ? demanda une de mes tantes. On ne t'a pas tellement grondée.

— Je ne pleure pas parce que vous m'avez grondée, ma tante, je pleure parce qu'ici on m'appelle Gabrielle. À la maison on m'appelait Coco.

J'entendais parler de ma mère comme de "cette pauvre Jeanne". Elle avait épousé un homme qu'elle aimait. (Sous-entendu : donc, elle était heureuse.) Elle avait une mauvaise santé. Dans sa famille, personne n'est arrivé à quarante ans, ils s'en allaient tous de la poitrine, il n'y a que moi qui ai échappé à ce massacre, je ne sais comment.

Mon père a connu ma mère par son frère, qui était son copain de régiment et qui lui parlait de sa sœur : "Elle est charmante, tu la connaîtras."

Il a ramené mon père chez lui [1], dans son pays, quand ils ont terminé leur temps. Mon père, qui était un homme très gai, a vu cette fille et l'a épousée. Naturellement, il l'a ruinée. Je l'ai appris en écoutant aux portes. Est-ce que cette ruine était si épouvantable ? On me disait :

1. À Courpière, près du Puy-en-Velay, où le frère, Marin Devolle, était menuisier.

“Si votre père n’avait pas fait tant de sottises, ceci serait encore à vous, et cela aussi.”

On me montrait une vieille ferme, des trucs comme ça, que je trouvais abominables, et je me disais : Quelle chance que ça ne soit plus à nous.

Quand mes tantes recevaient des visites, on demandait :

“Le père de la petite ? Qu’est-ce qu’il devient ? Est-ce qu’il fait quelque chose pour elle ?”

J’ai voulu me suicider je ne sais combien de fois. La chose du monde qui m’embêtait le plus, c’était d’entendre ma mère appelée “pauvre Jeanne”. Et d’entendre dire que j’étais une orpheline. Je n’étais pas orpheline ! Papa était encore là, non ?

Tout ça m’humiliait. Je comprenais qu’on ne m’aimait pas tellement et qu’on me gardait par charité.

Mon père était un homme jeune. Ce qu’il faisait ? Vous savez, on se souvient mal. On a un père, on l’aime beaucoup, on pense qu’il est très bien. Mon père n’était pas très bien, c’est tout ; je l’ai découvert par la suite. D’abord, il m’a menti. À moi ! Il est venu me voir chez mes tantes ; j’étais chez elles depuis un an. Elles se sont mises en frais pour lui, c’était un homme plein de charme ; je le voyais comme ça, en tout cas. Il a commencé par me raconter des tas d’histoires. Moi, je lui disais :

— N’écoute pas ce qu’*elles* racontent, je suis malheureuse, je te jure que je suis très malheureuse, je veux m’en aller avec toi.

Il m’a fait du charme :

— Tu verras, nous aurons une autre maison, une maison pour nous.

Il disait un tas de choses tendres et gentilles, comme un père en dit à sa fille, et pourtant il savait qu’il allait foutre le camp pour l’Amérique et que je ne le reverrais jamais. Car je ne l’ai jamais revu. Il a donné de ses nouvelles. Il a envoyé un peu d'argent. Combien ? Beaucoup ? Je n'en sais rien. Et puis on n'a plus entendu parler de lui.

Je comprends mon père. Voilà un homme qui n'avait pas trente ans quand il est parti. Il a refait sa vie, il a eu une nouvelle famille. Pourquoi se serait-il occupé de ses deux filles ? Il savait qu'elles se trouvaient entre de bonnes mains et qu'on les élèverait. Il s'en est fichu. Il a eu d'autres enfants. Il a bien fait. J'aurais fait comme lui. Je ne crois pas qu'avant trente ans on puisse rester fidèle à des trucs comme ça. »

Deux filles ? Et la troisième ? Et les garçons ? Les « mensonges » de Mademoiselle Chanel sont tellement gros qu'il faut bien se demander si elle était consciente de mentir. Pour tromper qui ? Quand je lui demandais ce que faisait son père, elle ne répondait pas.

« Moi, mon père m'aimait bien ; ma sœur, il ne l'aimait pas, en tout cas il s'est montré méchant avec elle[1]. Elle représentait le malheur. Ma mère a été très malade en la mettant au monde. Elle ne pouvait plus avoir d'enfants. Moi je représentais la gaieté. Tout allait mieux à la maison, et puis, la désolation. Mon père a eu d'une maîtresse un petit garçon, qui avait à peu près le même âge que moi. Je ne l'ai jamais vu, je ne le connais pas. Ce sont des histoires qui n'intéressent personne, elles ne m'intéressent même pas moi. Qu'allez-vous faire de ce galimatias ?

Ma mère n'était pas une paysanne. On raconte que j'étais une petite paysanne avec des sabots. On ne peut pas marcher avec ça aux pieds. On dit que je suis arrivée à Paris avec des sabots ! J'en ai porté. En hiver

1. Lorsque je demandais si les tantes avaient aussi recueilli cette jeune sœur, Antoinette, elle n'entendait pas.

il y en avait devant la porte ; on les laissait là, on entrait dans la maison avec des chaussons. On avait des hivers effrayants. On ne pensait pas à faire du ski ! Les gens entraient pour se chauffer.

On emplissait leurs poches de châtaignes. Des pommes de terre cuisaient dans des chaudrons, sur l'âtre, pour les cochons. Il y avait toujours des marmites remplies de châtaignes. Je n'étais pas autorisée à sortir mais, quand la porte s'ouvrait, j'en profitais pour foutre le camp et alors, bien sûr, je mettais les sabots, sinon, en rentrant, j'aurais tout mouillé. On ne sortait pas en hiver. On brûlait des arbres entiers dans l'âtre. J'aimais l'hiver, je m'amusais, on me permettait de rester à la cuisine. La cuisine, c'est l'âme d'une maison à la campagne, tout rôtit devant le feu.

Avant, je vivais chez des Méridionaux. La famille de mon père, à Nîmes, c'était des Méridionaux. »

Dans la mémoire de Coco, il ne reste apparemment aucune image transposable de l'estaminet de Ponteils. Lui en parlait-on, quand elle grandissait ?

« À Nîmes, vous pensez si l'on s'en faisait. On spéculait sur le vin. On faisait des fortunes quelquefois, ensuite on était dans la misère. »

Elle invente, elle fabule, les Chanel n'ont jamais vendu du vin. Mais elle fournit en même temps la clé de ce petit mystère :

« Ma famille s'est ruinée la même année que celle de Pierre Reverdy. »

Reverdy – un poète oublié, méconnu, disait Coco avec force – a eu de l'importance dans sa vie ; on verra.

Il lui racontait sa jeunesse. Elle se souvient de ses récits, les reprend et les incorpore à son passé :

« On achetait le vin sur pied. Il n'y avait pas d'Algérie à cette époque, il y avait le vin du Midi. Quand on le vendait trois sous après l'avoir payé deux sous sur pied, c'était la fortune ; mais quand il fallait vendre pour un sou ce que l'on avait acheté trois sous, c'était la dégringolade. Cette année-là, il y eut tellement de vin qu'on le laissait couler dans les rigoles, c'était une marée effroyable. J'étais une enfant, j'entendais beaucoup parler de misère. La famille ne peut plus rester ici, où tout le monde nous connaît, murmurait ma grand-mère.

Mes tantes avaient une bonne maison, ce qui voulait dire beaucoup à l'époque. C'était très propre ; je ne m'en rendais pas compte, quand j'y vivais. Mais si j'ai un certain goût de l'ordre, du confort, des choses bien faites, des armoires avec du linge qui sent bon, des parquets bien frottés, je le dois à mes tantes. D'avoir vécu chez elles m'a donné cette solidité que l'on ne trouve que chez les Français. Je ne l'ai pas appris dans les romans, tout cela. »

Comment étaient-elles, ces tantes ? Jamais un nom. Jamais une indication, un gros nez, des cheveux blancs, rien sur leur façon de s'habiller. Ce qui ne m'empêchait pas de les voir, vêtues de noir et de gris, les cheveux tirés, un chignon, des mains sèches, le regard froid, avec un fichu noir croisé sur la poitrine (plate), un ruban noir autour du cou. Que faisaient-elles ? Elles n'étaient pas des paysannes. Je comprenais qu'elles avaient du bien, des fermes, des terres.

« La table était toujours très bien mise. Les fermiers réglaient leurs fermages en nature généralement. Ils apportaient des œufs, des volailles, du lard, des sacs de farine et de pommes de terre, des jambons, des chapelets de saucisses. On ouvrait des cochons entiers sur une planche. Tout ça m'a dégoûtée de la nourriture, mais, ensuite, rien ne m'a jamais étonnée. Quand j'ai vécu en Angleterre dans un luxe qu'on ne peut plus imaginer, le merveilleux luxe du gâchis qui permet de ne tenir à rien, eh bien, cela ne me surprenait pas, à cause de cette enfance passée dans une bonne maison où il y avait tout ce qu'il fallait pour tout le monde. À l'époque, c'était considérable. Les filles qui travaillaient pour mes tantes changeaient à vue d'œil parce qu'elles mangeaient à leur faim, de la viande en-veux-tu-en-voilà.

La maison était bien tenue; il y avait des domestiques. En hiver, il faisait froid dans les chambres mais on avait tout ce qu'il fallait, sans mesquinerie. À date fixe, au printemps notamment, on sortait le linge, des piles de draps et de serviettes, on repassait ce qui était défraîchi. »

En racontant, Coco faisait les gestes des repasseuses, prenant du bout des doigts quelques gouttes d'eau dans un bol pour les éparpiller sur le linge. Elle se souvenait des boules de bleu qu'on laissait dissoudre dans l'eau de la lessive, pour le rinçage.

« Maintenant, partout les draps sentent le chlore. On les change tous les jours au Ritz, et tous les soirs je m'endors dans le chlore. La vie était fastueuse en province. Moi, ce qui m'a étonnée plus tard, c'est le rond de serviette. On ne connaissait pas ça chez mes tantes, et le luxe c'est ça, au fond, une serviette propre pour chaque repas. Plutôt que de garder ma serviette, je préfère qu'on m'en donne une en papier. Je suis facilement dégoûtée. Les Français sont sales. »

Tout cela, les tantes, leur maison, la nourriture fastueuse fournie par les fermiers, devient évidemment très étonnant quand on pense à l'orphelinat. Des cochons entiers ! Des sacs de farine. Des volailles. Un saloir plein de saucisses, des jambons. Autant d'images empruntées aux souvenirs de son amie Misia Sert, dont on fera plus tard connaissance. Née en Russie dans une famille de boyards, elle avait fourni à Coco ce que Mademoiselle Chanel ne pouvait trouver dans sa mémoire.

Claude Delay[1] conseillait à la Grande Mademoiselle de se faire psychanalyser par son père, le Pr Delay. Après m'avoir raconté cela en riant, Coco avait ajouté :

— Moi qui n'ai jamais dit la vérité à mon curé ! »

Elle évoqua sa première communion :

« Je me suis confessée, c'était très grave pour moi. J'étais persuadée que le vieux curé dans le confessionnal ne savait pas que c'était moi qui lui parlais. Je ne savais pas quoi lui dire. J'avais trouvé dans le dictionnaire l'adjectif profane qui semblait convenir. J'ai dit :

— Mon père, je m'accuse d'avoir eu des pensées profanes.

Il a répondu tranquillement :

— Je te croyais moins bête que les autres.

Ç'a été la fin de la confession pour moi. Le curé savait donc que c'était moi. J'étais furieuse, je l'ai détesté. Le pauvre se demandait où j'avais pêché ça, profane. Il venait souvent déjeuner à la maison et il avait peur des mes tantes. Je lui disais :

— Elles vous invitent mais elles ne vous aiment pas.

— Je te défends de parler comme ça.

---

1. Psychanalyste et écrivain, auteur de *Chanel solitaire*, Gallimard, 1983 et J'ai lu, 2001.

Nous étions très amis ; il faisait semblant de me gronder :

— Tu ne dois pas dire n'importe quoi.

— Je peux dire ce que je veux.

Pour ma première communion, mes tantes voulaient me faire porter un bonnet avec ma robe blanche ; les petites paysannes en mettaient. Je voulais une couronne de roses en papier que je trouvais merveilleuses. J'ai dit que je ne ferais pas ma communion si on me forçait à mettre un bonnet de paysanne.

— Ça m'est bien égal de faire ma communion !

J'ai eu ma couronne de roses en papier. »

Les tantes, si sévères, s'étaient donc inclinées ? Ce sont encore des souvenirs fabriqués, de toute évidence. On imagine aisément comment la première communion s'organisait à Obazine. La vieille dame rêvait une enfance, et c'est très touchant.

Des détails pittoresques consolidaient ses vagabondages imaginaires. Des moines prêcheurs passaient dans le pays :

« ... De vrais moines, nu-pieds, avec une corde autour des reins. Ils s'installaient chez le curé, qui les nourrissait ; ils venaient pour ça, pour manger. Après vêpres, ils racontaient aux enfants des histoires sur les pays lointains. Ils parlaient des petits Chinois qui mouraient de faim. Tous les ans, pour le Nouvel An, mon grand-père m'envoyait cinq francs, c'était mon cadeau. Quoi acheter ? Je n'aimais que les pastilles de menthe ; j'en achetais pour un franc, les quatre francs qui restaient, je les glissais dans ma tirelire. Il fallait casser la tirelire pour les petits Chinois, ça ne me plaisait pas du tout. Je n'avais aucune des qualités que l'on prête aux enfants. J'étais frappée par la dureté des gens. Je me moquais des petits Chinois, je ne voulais pas leur donner le contenu de ma tirelire.

Si je m'analyse un peu, je constate que mon besoin d'indépendance s'est développé quand j'étais encore une toute petite fille. Je ne peux pas dire que j'étais malheureuse, que j'étais mal soignée, non. J'entendais beaucoup parler d'argent par les bonnes de mes tantes. Elles disaient qu'elles iraient en ville dès qu'elles auraient assez d'argent.

Dans les grandes maisons, à la campagne, les gens travaillaient comme des nègres ; ça a bien changé. On ne peut plus imaginer le mal que ces filles se donnaient. C'était fascinant à regarder. Celle qui apprenait à repasser les tabliers et les bonnets. Celle qui... Il fallait trois ans pour devenir première femme de chambre. Dès qu'on pouvait se placer, on partait.

Par les bonnes de mes tantes, qui ne pensaient qu'à partir, j'ai appris très tôt qu'il fallait gagner son indépendance. L'argent n'a jamais rendu qu'un son pour moi, celui de la liberté.

La vie en province était fastueuse ; je ne le savais pas, je trouvais tout misérable chez mes tantes. Dans mes romans, on ne parlait que de capitons, de meubles laqués blancs. Je voulais tout laquer de blanc. Je détestais dormir dans une alcôve, quelle vieillerie, quelle saleté. Chaque fois que je pouvais arracher quelque chose, un morceau de bois, je l'arrachais, pour abîmer. Quand on pense à tout ce qui se passe dans la tête d'une enfant. Ah ! ce n'est pas moi qui vais en élever, ou alors je les élèverais comme je l'ai été, je leur donnerais les livres les plus romanesques à lire. Des mélos ! Ça me plaisait beaucoup. »

Que lisait-elle ? On le saura en l'écoutant parler de sa première « vraie » robe.

« Jusqu'à seize ans, j'ai porté ce que portaient les filles de mon époque, un petit costume tailleur sombre ; jusqu'à seize ans, j'étais en deuil. Les petites filles, en province, on les habillait comme ça. Ou bien on était dans un couvent et on portait l'uniforme du couvent, ou bien on était une jeune fille qui ne va pas au couvent, instruite à la maison, et on portait un tailleur croisé. Mon tailleur vient de là. J'aurais dû le haïr. Je ne peux pas m'habiller autrement. Au printemps, j'avais un nouveau tailleur en alpaga noir ; en hiver, il était remplacé par un tailleur en cheviotte. En été, j'avais le chapeau le plus horrible qui soit, en paille d'Italie, avec un morceau de velours et une rose sur le bord. En hiver, c'était une cloche très dure avec une espèce de plume ; on me disait que c'était une plume d'aigle, c'était une plume de dindon trempée dans de la colle. Je trouvais tout ça très laid, ça n'avait pas d'importance, c'était mon uniforme.

J'enviais les paysannes, elles s'habillaient en rose et en bleu, je trouvais ça joli, ça me plaisait davantage que ce que je portais. Ah ! si on m'avait permis de m'habiller à mon goût ! La première robe que je me suis commandée a fait scandale. Une robe violette, princesse, montant jusqu'au cou, avec un grand volant et des dessous assortis, violette de Parme. J'avais quinze ans, ou peut-être seize ; j'en paraissais douze. On avait permis à la couturière de faire une robe selon mes vœux. Mes tantes ne s'en sont pas occupées. Je l'ai donc choisie en drap violet, moulante. Mais il n'y avait rien à mouler ! La couturière avait mis un morceau de taffetas en dessous, avec un volant. J'avais eu l'idée de cette robe en lisant un roman dont l'héroïne s'habillait ainsi. Je trouvais ravissant ce côté violette de Parme. Mon héroïne en portait sur son chapeau. La couturière a mis une branche de glycine sur le mien. Et tout cela dans un grand mystère, mes tantes ne devaient rien savoir.

Le dimanche matin, je me suis donc habillée avec beaucoup d'émotion, après m'être très bien lavée. La coquetterie, c'était d'être propre.

— Tu t'es bien lavé les oreilles ?

— Oui, ma tante.

— Tu t'es bien lavé le cou ?

— Oui, ma tante.

Je me lavais ce que je voulais, on ne me demandait pas de me déshabiller. Quand je me frottais bien, j'étais un peu plus rose que d'habitude. Je m'étais très bien arrangée, ce jour-là. Mes tantes m'attendaient en bas de l'escalier. Quand je me suis montrée, en haut, j'ai simplement entendu ceci :

— Coco, va te changer ! Dépêche-toi ! Nous arriverons en retard à la messe.

J'ai compris que j'étais une victime. On a rendu la robe à la couturière, qu'on n'a plus fait travailler. Elle m'en a beaucoup voulu. Je répétais que mes tantes étaient d'accord pour tout.

— Pour les dessous aussi ?

— Pour tout !

En dessous, il y avait des *balayeuses*, on appelait ça comme ça. Les femmes se retroussaient. Toutes les robes étaient affreuses à cette époque.

Devant la réaction de mes tantes, j'ai pleuré. Je les trouvais mauvaises, méchantes, avec une façon de me regarder de haut… Dépêche-toi d'enlever cette robe, Coco. Dans une famille normale, où l'on aime les enfants, on aurait ri. Mes tantes n'ont pas ri du tout. Ç'a a été un scandale dont j'ai souffert. Je n'osais plus sortir, de crainte de rencontrer la couturière. On lui avait rendu aussi le chapeau garni de glycine. Il faut dire qu'elle était un peu folle, cette couturière, elle aurait dû comprendre que je n'étais qu'une gamine. Quelle déception pour moi.

Je rêvais de cette robe depuis que j'avais lu un roman de Pierre Decourcelle. Quand je l'ai connu, plus tard, c'était déjà un vieux monsieur, je lui ai dit :

— Ah ! mon cher, vous m'avez valu une bien triste journée, et même de tristes semaines, et même des mois bien difficiles. »

La robe renvoyée, les tantes n'en parlaient plus. « Le silence, c'est la dureté de la province », commentait Coco. Que tout soit faux tombe sous le sens, non seulement la couturière, les précisions aussi sur la façon de s'habiller des filles, en province. Et pourtant, en utilisant quelques clefs, on dégage une vérité intéressante.

Coco, vers les vingt ans, allait tenter une carrière de chanteuse de café-concert. Une gommeuse parisienne, qui eut son heure de gloire, Mme d'Alma, était surnommée la gommeuse mauve[1]. Qu'elle ait influencé Coco paraît vraisemblable. Pierre Decourcelle ravitaillait les quotidiens avec des romans populaires comme *Les Deux Gosses* ou *Quand on aime*. Ils passaient en bas de page. On les découpait, on les conservait, on les échangeait. Pierre Decourcelle faisait une grande consommation de mauve, de laqué blanc, de capitons, de tout ce qui plaisait à Coco jeune fille. Il n'est donc pas sans intérêt de parcourir quelques échantillons de la prose de M. Decourcelle en imaginant Coco en train de les dévorer à seize ans.

L'héroïne des *Deux gosses*, Hélène de Montlaur, était « une adorable blonde, on aurait presque pu dire une jeune fille tant ses yeux bleus avaient conservé une expression de naïve innocence, tant sa bouche rose avait gardé la fraîcheur purpurine de l'enfance ».

À la suite d'une série fantastique de malentendus, le mari d'Hélène de Montlaur se persuade que le fils

1. Cf. *L'Irrégulière*.

qu'elle lui a donné n'est pas de lui. Il s'interroge sur ce qu'il doit faire quand un cambrioleur entre dans l'appartement, un lamentable et atroce pilleur de tombes, que Ramon de Montlaur va utiliser :

« M. de Montlaur tenait un pistolet à la main. Il réfléchissait à sa vengeance. Trop cruelle ? Allons donc ! N'avait-il pas été mortellement frappé ?

— Tu venais ici pour voler ? Je vais te faire une proposition qui te rapportera plus que ce vol, même si tu l'avais réussi.

— À vos ordres, bourgeois, à moins qu'il n'y ait dans votre offre du raisiné [du sang] sur le trimard.

— Que veux-tu dire ?

— Il me semble pourtant que je parle français. »

Elle lisait ces feuilletons chez sa grand-mère, quand elle retournait chez elle en vacances, ou encore chez une très bonne tante, qui s'appelait Julia, mariée avec un cheminot et qui vivait à Varennes-sur-Allier. Elle a énormément puisé dans cette bibliothèque tournante des pauvres que constituaient les feuilletons.

Le mystère des années vingt : Coco risque la maison de correction

En 1900, Coco a dix-sept ans. Toujours grâce aux bonnes relations qu'elle entretient avec les religieuses, sa grand-mère parvient à la faire entrer, après l'orphelinat, dans une institution, à Moulins, où les jeunes filles de bonne famille apprennent à tenir une maison. La plupart d'entre elles payaient pour cette éducation. Comme Virginie Chanel n'avait pas les moyens de régler la pension de Coco, celle-ci devait mettre la main à la pâte, participer aux travaux du ménage, faire les lits, éplucher des légumes. Coco ne parlait jamais de ces années, les plus difficiles, les plus troubles de sa jeunesse. Il faut transposer, extrapoler. Les bonnes de ses tantes ne pensent qu'à gagner un peu d'argent pour filer en ville. C'était évidemment le rêve de Coco. Que pouvait-elle espérer ? Au mieux, un beau mariage. Virginie Chanel dénicha un notaire d'un âge certain pour sa dernière, Adrienne, la *tante* de Coco ; on sait qu'elle n'avait que deux ans de plus que Coco. Adrienne refusa le notaire. La sœur aînée de Coco, Julia-Berthe, se laissa séduire par un nobliau, semblerait-il. C'est une autre indication qui permet d'entrevoir la condition de Coco. Sur quoi, sur qui pouvait-elle compter pour s'en sortir ? Elle me fournit une clef en me confiant qu'elle avait risqué la maison de correction. Comment ?

Moulins, chef-lieu de l'Allier, 22 000 habitants, à 313 km de Paris. Ébénisterie, chapellerie, vinaigrerie. Patrie de Villars, de Lingendes, de Théodore de Banville. En 1566, Michel de l'Hospital y fit rendre l'ordonnance de Moulins sur la Réformation de la justice. Voilà ce que disait le *Larousse* de mon père. Moulins était une garnison de cavalerie, une vieille ville, avec la *Nativité* du Maître de Moulins à la cathédrale. On se promenait sur les cours, les fossés comblés du château des Bourbons. La caserne des chasseurs à cheval, où Étienne Balsan terminait son service en 1903, se trouvait à La Madeleine.

1903. Attention ! Coco a déjà vingt ans, ou va les avoir. On paierait cher pour la voir. Deux ou trois fois par siècle apparaît un visage de femme qui, en imposant *autre chose*, déclasse ce qu'on admirait. Coco ignorait-elle qu'elle donnerait un nouveau visage aux femmes ? Elle se doutait de quelque chose.

« Je me trouvais très différente des autres. »

Comment se voyait-elle ?

« On dit que j'ai les yeux noirs. »

Elle haussait les épaules :

« Ils sont tout, sauf noirs. »

Au noir pailleté d'or elle ajoutait du violet, du vert.

« J'ai un cou d'une longueur phénoménale ; personne n'a un cou aussi long que moi, surtout sur les photos. Je tiens toujours la tête haute en mangeant. Il faut que je fasse très attention à mes vertèbres. Mon médecin suisse affirme que tout se passe autour de deux vertèbres cervicales. Je me masse, je fais des mouvements. Vous n'y changerez plus rien maintenant, dit le médecin. C'est très délicat tout ça. »

Sa silhouette :

« Je ne pèse que deux kilos de plus qu'à vingt ans », avait-elle dit à Truman Capote.

Parmi les histoires colportées sur elle, Truman Capote avait retenu celle d'un père forgeron, dans le Pays basque. Un cavalier s'arrête pour faire remettre un fer à sa monture. Le patron est absent, mais sa fille

Coco est là pour rallumer la forge, actionner le soufflet, pour prendre le sabot du cheval entre les cuisses et pour enfoncer les clous.

— Que vous êtes jolie ! dit le cavalier.

C'est le duc de Westminster !

Selon une autre version, les tantes de Coco se seraient occupées de remonte : l'Armée leur confiait des chevaux fatigués pour qu'elles les requinquent ; voilà comment Coco aurait connu l'officier de cavalerie Balsan.

Les Balsan figurent dans le Bottin mondain au même titre que d'autres dynasties bourgeoises comme les Lebaudy, les Say, les Hennessy. L'aîné de la famille, qui signait alors Balsan, sans prénom, devint aviateur : Jacques Balsan. Il avait une dizaine d'années de plus que son frère Étienne, qui s'intéressa à Coco. Un de leurs neveux, Louis, ancien de Polytechnique, m'avait confié un opuscule ronéographié qui racontait l'histoire de la famille. Il gardait une admiration de gamin pour l'oncle Étienne, généreux, sympathique, débordant de vie, aimant sa liberté par-dessus tout. Admirable cavalier, capable de faire gagner une bête médiocre « à la force des cuisses ». Un *gentleman rider*. Il galopait en gardant un œil fermé, en réserve, disait-il, pour le cas où l'autre serait aveuglé par une projection de boue. On le redoutait quand il montait en *steeple*, il ne faisait pas de cadeaux aux jockeys, disait le neveu.

Une anecdote *historique* donne une bonne idée de l'importance des Balsan. Ils fabriquaient du drap et notamment, en 1914, celui des pantalons garance des poilus. Les dernières grandes manœuvres d'avant-guerre s'étaient déroulées près de Châteauroux, où ils avaient leurs usines et un château, pour accueillir les états-majors. Au début de la Grande Guerre, Jacques, le frère aîné d'Étienne, qui se passionne pour les avions et qui pilote, s'aperçoit, en survolant les armées allemandes qui ne cessent d'avancer depuis Charleroi, que l'une dévie de son axe, présentant le flanc à une contre-attaque. Il regagne sa base. Un aviateur ordinaire rendrait compte à son chef d'escadrille, qui, à son tour, alerterait son général, qui... etc. Jacques Balsan se rue aux Invalides, chez le général Gallieni, gouverneur de Paris, un familier de l'hôtel Balsan, auquel il ne reste plus qu'à mobiliser les taxis pour la victoire de la Marne. Voilà ce que l'on peut faire quand on est Balsan.

Donc, en 1903, Étienne terminait son service chez les chasseurs à cheval de Moulins. Pas officier du tout, maréchal des logis, par faveur. On l'avait obligé à s'engager chez les chasseurs d'Afrique avec l'espoir de lui mettre un peu de plomb dans la tête. On avait failli le regretter. Une de ses frasques, à Alger, risquait de lui coûter cher. Par bonheur, il fut capable de soigner les chevaux de l'escadron qui souffraient d'une maladie des paturons, ce qui lui évita le conseil de guerre. On le ramena à Moulins, grâce à la protection familiale.

Quel décor, ce Moulins de 1900 ! Les volets clos, la grand-messe, les concerts des chasseurs sur les cours, le notaire en redingote, les dames à la messe avec leurs mitaines de filoselle, la colonelle qui recevait le premier et le troisième mardis...

Comment le maréchal des logis Balsan, fils de famille, avec de l'argent à dépenser, a-t-il rencontré Coco à Moulins ? Mystère. Quand je parlais de Moulins, Coco devenait sourde. Retenons qu'en 1903, quand Balsan arrive, elle a quitté les bonnes sœurs. On l'a embauchée dans une boutique, avec sa tante Adrienne, son aînée de deux ans, très jolie, très différente d'elle, plus souple : elle ne prend pas les gens à rebrousse-poil, comme Coco, elle n'est pas convaincue que tout lui est dû. Elles ont une chambre en ville. Un merveilleux tandem. Quand l'une est invitée à dîner, elle emmène l'autre. Parfois, Antoinette rejoint Coco et Adrienne : les Trois Grâces ! On en parle à Moulins.

Coco aurait chanté dans un beuglant. On se souvient de la robe mauve de gommeuse. Elle avait une jolie voix, elle le disait. Eût-elle préféré devenir la Callas plutôt que Chanel ?

« À Moulins, tu étais la Madelon », lui lança Serge Lifar lors d'un dîner.

Qu'est-ce que cela changerait si après avoir poussé la romance dans une boîte à soldats elle avait passé de table en table en présentant une assiette chargée de gros sous :

— Pour l'artiste, messieurs dames.

Je me fais une image de l'adolescence de Coco d'après des réactions et des confidences sans rapport apparent avec ce passé. Elle avait de l'amitié et de l'affection pour Bresson, le metteur en scène.

Coco venait de voir le dernier film de Bresson, *Mouchette*, l'histoire d'une très jolie gamine de douze ans violée par un vieux bonhomme.

« Je l'ai dit à Bresson : ta Mouchette n'a pas été violée. Elle est allée chez le bonhomme pour ça. C'est à douze ans que les filles sont le plus attirées par des choses comme ça. Elles sont terribles, à douze ans. N'importe qui peut les avoir en se montrant un peu adroit. Elles sont en pleine transformation. »

Voilà une pièce pour le puzzle des années du grand mystère ; il convient évidemment de la rapprocher de la menace que Coco sentait sur elle, celle de la maison de correction. Elle a certainement donné beaucoup de fil à retordre à sa grand-mère, aux bonnes sœurs, à sa tante de Varennes-sur-Allier, qui l'accueillait pendant les vacances avec la petite Antoinette.

« On ne la gardera pas longtemps », aurait remarqué la mère supérieure de l'institution religieuse de Moulins.

Coco avait le diable au corps.

Dans une de ses nouvelles, *Yvette*, Maupassant raconte la vie d'une jolie femme qui, pour échapper à la médiocrité (« Je ne voulais pas être *bonniche* », explique-t-elle quand sa fille découvre la vérité), reçoit dans une jolie maison des hobereaux normands, châtelains du voisinage, lesquels, à tour de rôle, pourvoient à ses besoins. À Vichy, une dame Maud M. se débrouillait d'une façon analogue. On trouvait chez elle de charmantes filles qui ne voulaient pas se placer comme « bonniches ». Coco en était, et Adrienne. Qui fréquentait la villa ? Que se passait-il ?

C'étaient d'autres temps. Lorsqu'une gamine faisait une fugue, on n'alertait pas immédiatement les gendarmes. Du côté des pauvres, on ne s'alarmait pas forcément quand un jeune homme nanti, voire quelqu'un d'âgé, tournait autour d'une jolie fille condamnée par sa naissance à épouser un maçon ou un ouvrier agricole. L'argent donnait au charme une chance de promotion sociale. Il arrivait que le prince épouse la bergère. Plus souvent, il l'abandonnait avec un enfant, comme ce fut le cas pour Julia-Berthe. Lorsque la bergère se montrait adroite, elle s'en sortait, comme Adrienne qui, avant d'épouser le baron Nexon, vécut pendant plusieurs années avec un officier rencontré chez Maud M. Encore fallait-il se montrer patiente, et la patience n'était pas la qualité maîtresse de Coco. Dans sa famille, elle faisait peur :

— Celle-là veut tout.

« J'avais de la défense », me disait-elle.

Elle me raconta une fugue à Paris, avec Adrienne. À quel âge ? Dix-sept, dix-huit ans ? Je la pressais de questions. Elle protestait en riant :

— Je ne vais tout de même pas vous raconter toute ma vie !

— Si ! Absolument ! Elle est passionnante. Vous garderez les bandes magnétiques si vous le désirez. Vous mettrez tout au net, quand vous voudrez, avec qui vous voudrez.

— Nous verrons plus tard si nous le faisons ensemble.

Elle se trouvait donc en vacances chez sa tante Costier, femme de cheminot, qui avait une petite maison à Varennes-sur-Allier. Le cheminot était un peu poète. Pour lui et pour la tante, Coco s'appelait Fifine ; elle s'en souvenait avec malice, ça l'amusait plutôt. Adrienne était là, très malheureuse. Un notaire voulait l'épouser, on le sait. La réussite, le bonheur, et cette idiote pleurait : elle n'aimait pas le notaire. C'était la fête à Varennes-sur-Allier, avec des manèges et de la barbe à papa. Un forain engagea Adrienne et Coco pour tenir son stand, il devait emmener son épouse à l'hôpital. Il vendait des confettis. Le stock fut rapidement liquidé. En calculant leur bénéfice, les jeunes filles constatèrent qu'elles étaient assez riches pour prendre le train pour Paris, où, semblerait-il, Adrienne avait quelqu'un à voir. Un *sauveur*, sans doute, qui se chargerait d'elles. Elles se faufilèrent hors de la maison à la nuit. Ce n'était sûrement pas la première fois. Adrienne, qui gérait leur petit magot, prit des billets de seconde, jugeant qu'elle et Coco ne pouvaient voyager en troisième classe : ça existait encore, et même des wagons de quatrième classe sur de petites lignes.

« Nous voyagerons en première », décida Coco.

Le contrôleur ne se laissa pas attendrir ; en plus de la surtaxe, il réclama une amende. Coco ne l'avait pas oublié.

« J'avais dit à Adrienne de prendre des premières, ça nous aurait évité l'amende. »

Mais Paris ? Le but du voyage ? Coco changeait de sujet. On peut penser qu'Adrienne cherchait aide et protection auprès d'un officier de chasseurs à cheval rencontré chez Maud M. Que faisait Coco ? Très *dégourdie* à dix-sept ans, il fallait qu'elle s'en sorte. Les bonnes de ses tantes mettaient de l'argent de côté pour *monter en ville*.

De l'argent. Comment l'obtenir ? La réponse s'imposait : par les hommes, auxquels, de toute évidence, elle plaisait. Encore ne fallait-il pas gâcher ses atouts comme la pauvre idiote de Julia-Berthe. On imagine tout ce que Coco apprenait chez cette dame, Maud M., qui les invitait, Adrienne et elle, et d'autres, pour attirer les plus intéressants, les plus argentés représentants de la jeunesse dorée de Moulins ; et des estivants de Vichy aussi, pendant la saison. Durant ces années *oubliées*, mystérieuses, Coco faisait la navette entre les deux villes, à la recherche d'un destin.

Elle attirait forcément des galants ; ça se disait encore. Les jeunes filles ne sortaient pas ; on les surveillait, elles avaient la tête farcie d'interdits, le péché menait à l'enfer ; et pas de pilule pour rassurer les audacieuses. Coco était émancipée, affranchie d'une certaine façon par la pauvreté, contre laquelle, depuis la disparition de son père et la mort de sa mère, elle se rebellait, protestant qu'elle n'était pas orpheline. Son père reviendrait, l'installerait dans une belle maison. Voyager en première classe. Tout cela se rejoint.

Une tante, me dit-elle, l'emmena à Paris alors qu'elle avait quatorze ans.

« J'ai vu Sarah Bernhardt dans *La Dame aux camélias*. J'ai pleuré à en mourir. Les gens derrière nous protestaient : que l'on fasse sortir cette petite. J'avais les yeux gonflés après le spectacle. Ma tante m'a dit : Nous n'irons pas voir *L'Aiglon*, tu pleurerais encore plus. »

Incroyable, bien sûr, mais intéressant. Un autre soir, elle parlait de *L'Aiglon*, et puis de Francis de Croisset, dont André Brûlé interprétait une pièce. Tout cela rattaché au voyage avec la tante. Si elle l'avait fait à quatorze ans, cela nous met en 1897. Francis de Croisset débutait. Elle se disait amoureuse de lui :

« J'avais vu sa photo dans *Femina.* »

Il fit parler de lui en 1899 avec *Le Paon*, monté par la Comédie-Française, avec Cécile Sorel. Quant à la pièce dans laquelle Coco prétendait avoir vu André Brûlé, il s'agissait sans doute d'*Arsène Lupin*, adapté par Francis de Croisset, une mine d'or pour André Brûlé qui touchait 1 000 francs-or par représentation. Mais cela se situe en 1908 quand Coco, âgée de vingt-cinq ans, n'avait plus besoin de ses tantes pour aller au théâtre. Qui l'accompagnait ?

Comment est-elle montée à Paris ? Avec Étienne Balsan, ou pour le retrouver, on le sait. Pourquoi se chargeait-il d'elle ? Une explication m'a été donnée par Marie-Jeanne Viel, écrivain et journaliste. Elle grandissait à Moulins, quelques années après que Coco eut fait beaucoup parler d'elle. On se souvenait des Trois Grâces (Coco, sa petite sœur Antoinette et sa tante Adrienne). Coco, on le chuchotait encore, avait risqué la prison après une histoire d'avortement. La faiseuse d'anges qui lui avait « rendu service » n'avait dû qu'à une intervention d'Étienne Balsan de s'en tirer sans condamnation. La mésaventure se trouve-t-elle à l'origine de la liaison, assez bizarre, assez complexe, de Coco avec Étienne, qu'on surnommait Rico ?

Rassemblons ces indices.

Coco, qui veut coûte que coûte sortir de Moulins, de Vichy, cherche un protecteur, comme Adrienne ; mais, moins simple, moins attachée qu'Adrienne, elle prend des risques. Va-t-elle avoir à le regretter, comme Julia-Berthe ? Elle n'aura pas d'enfant, non. Elle se débrouille. Aidée par Balsan, qui, lorsque l'affaire tourne mal, se sent concerné. Peut-être compromis ? Tout cela paraît très plausible. Une fille délurée, qui « en veut », comme on dit, tombe sur un séducteur qui, pour une raison indéfinie, se sent responsable d'elle, et cela dans des circonstances qu'elle préfère oublier. C'est évidemment invérifiable L'explication de la *stérilité* de Coco Chanel se trouverait là, dans une intervention misérable dont les conséquences, on en jugera, seront cruelles pour la Grande Mademoiselle.

Un fils de famille place Coco sur orbite

ÉTIENNE BALSAN ne s'intéressait qu'aux chevaux et à des femmes qui n'étaient pas celles qu'on recevait rue de la Baume, chez les Balsan. Rendu à la vie civile, il décida d'élever des chevaux pour l'Armée, qui en consommait énormément. Son camp d'entraînement se trouvait à La Croix-Saint-Ouen, près de Compiègne. Il acheta dans les parages le château de Royallieu. Un château ? Quand on demande aux gens du pays où on peut le voir, ils s'étonnent : il y aurait un château dans le coin ? Dans des temps très anciens, c'était une maison forte, la Neuville, un poste avancé pour la défense du Paris des Capétiens. Après que Philippe le Bel s'y fut arrêté, la Neuville devint la Maison du roi, et, bientôt, Royallieu. Une reine en fit une abbaye. L'abbaye se ratatina en prieuré. Plus tard, ce fut un haras avec de grandes écuries. Un homme de progrès y pratiqua, en précurseur, l'élevage industriel des poulets. Du château royal, quand Coco s'y installa, il ne restait que des pierres incorporées au mur de façade couvert de lierre.

Balsan acheta Royallieu à la veuve d'un entraîneur en 1904. On classait les *gentlemen rider* comme, aujourd'hui, les joueurs de tennis. Balsan fut n° 1, mais aussi n° 13. Coco ne s'installa pas à Royallieu en maîtresse de maison. La place était occupée par Émilienne d'Alençon, une cocotte, magnifique créature. Coco, qui possédait un génie des raccourcis, disait :

« Étienne Balsan aimait les vieilles femmes, il adorait Émilienne d'Alençon. La beauté, la jeunesse, ça ne le préoccupait pas, il vivait avec des cocottes et scandalisait sa famille. Il était très indépendant, il avait une écurie de courses. »

Émilienne d'Alençon avait quelques petites années de plus que Coco ; elle se trouvait au zénith de son charme[1].

« Je ne connaissais qu'une personne sérieuse, me dira Coco, c'était Émilienne. »

Que se passe-t-il ? Pas un instant Coco ne songe à contester les droits d'Émilienne en s'installant à Royallieu. De son côté, la cocotte ne s'inquiète pas de l'apparition de cette beauté insolite et rebelle qu'Étienne ramène de Moulins. Attelage à trois, comme on disait ? À qui Coco plaisait-elle le plus ? Dans le premier film qu'on lui a consacré[2], on voit Coco embrassée à pleine bouche par son amie Misia. Balsan ne recevait que des célibataires à Royallieu, et des actrices, parmi lesquelles la grande Dorziat. Des femmes libres. On s'amusait, on se déguisait, on faisait la noce, les fêtes se terminaient comment ? Il ne fallait pas le demander à Coco.

« J'ai vécu une vie... Personne n'a vécu comme moi. Je ne me rendais compte de rien. Je comprenais les choses dans les grandes lignes. Il a fallu que je m'éduque moi-même. Personne ne m'apprenait rien. Ces garçons avec lesquels je vivais ne tenaient pas du tout à ce que je change. Ils s'amusaient avec moi, ils riaient comme des fous. Enfin ils avaient trouvé un être sans détour. C'étaient des hommes fortunés, qui ne comprenaient rien à cette fille qui venait jouer dans leur vie. Quel méli-mélo. Je ne peux pas raconter ça, c'est trop ennuyeux. »

---

1. Émilie André, dite Émilienne d'Alençon, est née en 1869 et morte en 1946.

2. *Chanel solitaire*, de Georges Kaczender, avec Marie-France Pisier, est sorti en 1981, d'après le livre de Claude Delay, *op. cit.*

Ennuyeux ? Quels souvenirs gardait-elle, au fond d'elle-même ? On voit arriver cette gamine, effrayée mais agressive. A-t-elle des droits sur Balsan ? L'amour ? On ne le sentira jamais percer dans ses évocations, au contraire ; elle répète qu'elle n'aime pas Balsan. Pourquoi vient-elle à Royallieu ? Elle s'est donnée à Balsan, c'est certain. La trouverait-il *collante* ? Pas impossible. L'histoire de la faiseuse d'anges expliquerait leurs liens. Coco a failli mourir peut-être ? A-t-on parlé de prison ? Même si Balsan n'attache pas une importance démesurée à Coco, une gamine, on comprend qu'il hésite à l'abandonner trop brutalement. De son côté, Coco se trouve à sa merci. Encore une fois elle *dépend* de la gentillesse, pour ne pas dire de la charité de quelqu'un. Elle dira de Balsan ce qu'elle disait des bonnes sœurs métamorphosées en tantes : je leur dois beaucoup. Elle ne sait rien. Si, elle a appris à coudre au couvent. Elle n'a lu que des feuilletons de trois sous. Elle a voulu chanter dans des beuglants pour militaires. À Vichy, elle essayait de se faufiler sur une petite scène ridicule, l'équivalent des crochets radiophoniques. Devant une Émilienne d'Alençon, elle ne fait évidemment pas le poids.

Chez les Balsan, on estime que Coco *amusait* l'oncle Étienne par son esprit et par quelque chose d'acidulé dans son comportement qui le faisait rire. Elle était pour lui une *camarade-maîtresse*, alors qu'il était pour elle, la *charmante provinciale,* un *amant original et attirant.* Transmises d'une génération à l'autre, ces appréciations, pour conventionnelles et faussées qu'elles paraissent, permettent d'entrevoir ce que furent les débuts *mondains* de Coco. Plus que difficiles ! On a dit qu'à Royallieu elle prenait ses repas à l'office. Elle ne participait pas aux dîners quand un ami d'Étienne arrivait avec sa femme légitime. Pourtant, Émilienne d'Alençon présidait, légitime elle aussi, d'une certaine façon, alors que Coco ne comptait pas. Elle a dû en avaler des couleuvres à Royallieu, où elle vécut pendant quatre ou cinq ans... Mais que faire ?

« Si tu n'es pas contente, ma petite, personne ne te retient. »

C'était la réaction de Balsan. Coco ne se rendait jamais à Paris. Elle passait le plus clair de son temps avec les chevaux, les entraîneurs, les jockeys. De quoi se souvenait-elle ?

« Il y avait les *lads*. Vous ne le savez peut-être pas mais il faut que les chevaux marchent beaucoup, et lentement. Tous les *lads* voulaient devenir jockeys. Je leur apprenais à monter. L'un deux venait pleurer dans mes bras :

— Maman ne veut pas qu'on me mette sur un cheval.

Coco l'avait consolé :

— Ta maman m'a dit le contraire, à moi. Je vais tout t'apprendre en une demi-heure. Ne pleure plus. »

Intéressant, non ? La seule impulsion *maternelle* de Coco dont je me souvienne ; elle lui échappait alors qu'elle *revivait* Royallieu.

On peut penser qu'en s'occupant des chevaux elle se rapprochait de Balsan. Elle avait le plus grand besoin de lui ; elle voulait lui plaire. « Quand il comprendra que je fais très bien ce qui lui tient le plus à cœur... » Elle l'aimait bien, Balsan, mais... C'était complexe. À qui d'autre aurait-elle pu se raccrocher ? Elle se trouvait seule, loin de tout, les gens qu'elle voyait la regardaient de haut. Qu'est-ce que cette sauterelle fait chez notre ami Balsan ? Pourquoi la garde-t-il ? Il a l'air de se moquer d'elle. Oui, mais vous avez remarqué comme Émilienne la regarde gentiment ?

J'extrapole ; il est certain qu'on jasait, et ce fut bien la chance de Coco. Bonheur à celle par qui le scandale arrive ! On voit Coco parce qu'on regarde Balsan. Elle fait déjà un peu partie du Tout-Paris. On remarque son petit costume de pensionnaire :

« Ça faisait rire tout le monde, de me voir habillée comme ça, mais c'est tout ce qui a fait mon succès. Je ne ressemblais à personne. Je suis arrivée à Paris vingt ans trop tôt. Je me fichais de ce qui se disait.

— Vous avez l'air d'un Kalmouk.

Kalmouk ? J'ai regardé le dictionnaire : Kalmouk, tribu russe. Bon. J'avais pris mon parti de ne pas être jolie. Mais tout de même !

Je ne trouvais personne très bien. Quand on me montrait une jolie femme, je disais :

— Vous dites qu'elle est jolie ? Je ne trouve pas.

J'étais dure avec ces dames, surtout avec les dames du monde, que je jugeais affreuses. Je trouvais les cocottes ravissantes. J'avais mauvais goût mais j'avais raison. Les cocottes étaient excentriques, très belles, appétissantes, elles allaient avec mes romans. Les gens comme il faut, c'étaient mes tantes. On ne peut pas comprendre quand on n'a pas connu la vie de province de ce temps-là.

J'avais tout à apprendre. Je n'avais jamais roulé en automobile. On voyait des voitures d'une laideur. Je disais : ces horreurs, et il n'y a même pas de chevaux ! Le cocher, à l'avant, j'avais peur qu'il tombe. Ça ne me plaisait pas du tout, je prévoyais qu'on inventerait encore d'autres trucs. Il faut s'adapter, n'est-ce pas ? Ça m'ouvrait un peu l'esprit.

J'ai fait une espèce de révolution par hasard, par chance. En arrivant j'étais tombée dans un milieu... Je ne savais pas si c'était un milieu élégant ou pas, pour dire la vérité, au début je les trouvais tous très moches. C'étaient de jeunes hommes riches que toutes les femmes convoitaient comme amants pour elles-mêmes ou comme maris pour leurs filles. Je ne m'en doutais pas. Je croyais que tous les hommes étaient pareils, je ne leur trouvais rien d'extraordinaire. Il me semblait normal de vivre dans le milieu dans lequel j'étais. Je ne connaissais pas d'hommes. Je ne connaissais que mon père et quelques fermiers, des gens de mon pays, le curé, le notaire, le maire. À part ceux-là, personne.

Étienne Balsan ne se préoccupait pas de beauté, de choses comme ça ; je l'ai dit, il aimait les vieilles femmes, il adorait les cocottes. Il scandalisait sa famille. Les Balsan étaient plutôt contents de le voir avec moi. Son frère Jacques venait me voir et m'en racontait de toutes les couleurs sur Étienne. Il voulait absolument que je me marie avec lui.

— Je ne l'aime pas !

— C'est sans importance, ça ne compte pas.

Je pensais : quel monstre, on voit bien qu'il est vieux. Il avait dix ans de plus que son frère et, comme son frère avait dix ans de plus que moi, ça faisait une différence de vingt ans[1]. Je le trouvais amusant et embêtant. Il voulait qu'on rentre dans l'ordre.

— Vous finirez mal, mon petit, disait-il. Qu'est-ce que vous allez devenir ?

— Je ne sais pas, ça m'est égal. Je veux travailler.

— Travailler ! Travailler ! Vous ne savez rien faire.

— Mais puisque toutes ces femmes veulent savoir comment je m'habille…

Elles voulaient surtout savoir qui faisait mes chapeaux. J'achetais une forme aux Galeries Lafayette et je mettais un machin dessus. J'en ai pris six, et puis douze. J'étais habillée en écolière, je ne pouvais pas me vêtir autrement, si bien qu'à dix-neuf ans[2] j'en paraissais

---

1. Étienne avait trois ou quatre ans de plus que Coco.
2. Trois, ou quatre, ou cinq de plus. Le séjour à Royallieu s'étend de 1904 ou 1905 à 1908 (ou 1909).

quinze. Je devais peser deux ou trois kilos de moins que maintenant. À côté des autres femmes, si somptueuses… Je ne les trouvais pas si moches que ça, bien entendu. Les cocottes me semblaient très jolies avec leurs grands chapeaux qui dépassaient les épaules, leurs grands yeux très maquillés. Elles ressemblaient bien plus que les femmes du monde à ce que j'aimais. Il y avait Maria de Gramont, dont on parlait beaucoup. Une personne aussi qu'on appelait la Bonne Hélène. On me demandait si je voulais les voir ; je disais non, elles me font peur. Je me demande ce qu'elles pensaient de moi. Elles voulaient savoir pourquoi je plaisais aux hommes.

Jules de S. m'a dit un jour :

— Il faut absolument que vous connaissiez Pauline[1], elle veut vous rencontrer.

— Qu'elle vienne prendre le thé.

J'avais retenu ça : il fallait prendre le thé. Il m'a demandé ensuite ce que je pensais d'elle, comment je l'avais trouvée. J'ai dit :

— Affreuse.

— Comment ? Affreuse ?

— Oui, affreuse. Elle paraît méchante et dure, elle n'est pas propre, elle se met de la poudre de riz dans les cheveux. Et pourquoi tant de cheveux ? Elle a un profil si dur.

Il riait, il riait comme un fou, il a raconté tout cela à ses amis pour les faire rire :

— Savez-vous, ce que Coco pense de Pauline ? Elle la trouve affreuse.

C'était la beauté de l'époque, elle devait avoir trente ans. Peinte, grimée, dure comme un rocher, et pourtant elle m'épatait. Je dois dire qu'ils m'en ont appris, ces gens-là. Pas tout de suite. Il m'a fallu du temps. »

1. Pauline de Saint-Sauveur.

Ils m'en ont appris, ces gens-là. On la snobait ? Et qui la regardait avec condescendance en riant de ses sottises parce qu'elle était jolie ? Des mufles, ce qu'on appelait de jolis mufles avec de l'admiration ; c'était bien vu d'être mufle, pas avec Madame sa mère ou ses amies bien sûr, mais, avec une fille d'un autre milieu, pourquoi prendre des gants ?

Dans ses confidences, Coco ignore la chronologie, elle enjambe et mélange les années, il faut donc s'intéresser aux motivations, à tout ce qui a creusé des sillons dans la mémoire. D'Étienne Balsan, son neveu m'a dit qu'il était systématiquement *antisnob*. C'était sans doute vrai. S'il lui arrivait de reléguer Coco à l'office (ce qu'on dément du côté Balsan, mais comment savoir ?), on imagine fort bien qu'il allait la rejoindre à la table des jockeys et des entraîneurs. Un bon vivant. Un brave type. Il tutoyait facilement. Une sorte de père du régiment, supérieur par essence, avec les galons de la fortune sur les manches, mais préoccupé du bien-être du soldat, goûtant sa soupe, lui accordant une permission de vingt-quatre heures pour se rendre au chevet de sa mère mourante, lui offrant même le voyage en troisième classe. Pas facile à supporter, pour Coco, n'empêche que Balsan, pour elle, c'était Amphitryon, le messager du destin qui, malgré lui, en tout cas sans y penser, allait la présenter à son Pygmalion, Boy Capel.

Le grand amour de Coco : Boy Capel, un Anglais, bâtard, ami de Clemenceau

Coco vivait à Royallieu depuis plusieurs années quand un Anglais séduisant fit son apparition dans la bande des noceurs qui gravitaient autour de Balsan. Très beau garçon, brun, le teint mat d'un Oriental. Balsan le trouvait trop calamistré, il lui reprochait de tacher ses fauteuils avec les gominas qui collaient ses cheveux. Un play-boy, mais sérieux, il n'était pas riche de naissance, il faisait des affaires. Pendant la guerre, Clemenceau, qui semble avoir eu de l'estime pour lui, lui confiera des responsabilités dans le ravitaillement de la France en charbon. Il fréquentait le gratin mondain, le meilleur, bien qu'il ne fût pas né lui-même ; on le disait bâtard d'un Pereire, un banquier français. Sa mère ? Il n'en parlait pas. Une sorte d'orphelin, comme Coco, à un autre niveau, mais, pour lui, Coco avait déjà progressé, évolué, changé de milieu, quasiment d'essence. Est-ce que Boy (son prénom était Arthur) aurait remarqué Coco dans un beuglant de Moulins, ou chez la dame Maud M. ? Est-ce qu'il l'aurait éventuellement aidée après une histoire de faiseuse d'anges ? À Royallieu, elle était *ennoblie* d'une certaine façon.

Coco Chanel avait conscience de la « complémentarité » des deux amants, on le comprend en écoutant ses confidences :

« J'ai commencé à faire des chapeaux parce que deux hommes se disputaient ma petite personne. Aucun ne voulait céder.

— Je vous ai rencontrée chez lui, disait Boy, parlant d'Étienne. Vous ne pouvez donc pas être à moi, et pourtant je vous aime. Mais c'est impossible.

Nous vivions en plein romantisme. Je répondais :

— Il ne m'aime pas.

En effet, Étienne ne m'aimait plus, mais comme tout bon Français, comme tout homme en général, il s'est remis à m'aimer quand il a constaté que j'en aimais un autre. Pendant un an, ces Messieurs se sont disputés. Je me disais : que vais-je devenir au milieu de tout ça ? Il faut que je fasse quelque chose. Personne ne se souciait de moi, une petite fille sans argent.

J'habitais l'Hôtel Ritz. On payait pour moi, on payait tout, c'était une situation incroyable, Tout Paris en parlait. Je ne connaissais pas le Tout-Paris, je ne savais pas ce que c'était. Depuis près de deux ans, j'étais à Compiègne et je montais à cheval. J'avais bien compris que je ne gagnerais jamais ma vie comme ça. Par conséquent, puisque j'en aimais un autre, je devais m'installer à Paris. Il n'était pas possible que je vive avec l'argent d'un monsieur alors que j'en aimais un autre. C'était très compliqué. Les femmes qui étaient des cocottes, on les payait. Je le savais, on m'avait appris tout ça. Je me disais : alors, tu vas devenir une dame entretenue ? Ce sera épouvantable. Je ne voulais pas. Non seulement j'étais trop indépendante, mais il y avait la famille. Je ne marchais pas, rien à faire. »

Ses monologues déviaient constamment, mais comment n'aurais-je pas sursauté quand, un soir, à propos d'argent ou d'autre chose, elle parla de « ces femmes que certains clients du Ritz font monter dans leur chambre » ?

— C'est immonde.

Elle imitait le concierge faisant irruption dans l'appartement pour chasser une *créature* :

— Madame, il faut partir, vous êtes au Ritz.

Elle concluait avec une indignation non feinte :

— Moi, je mettrais à la porte les hommes qui font monter ces femmes.

Quel souvenir nourrissait sa protestation ?

« Ils ont fini par se décider, ils ont compris que j'avais raison en leur demandant de m'installer pour faire des chapeaux. Parce qu'on en discutait à trois. Vous ne pouvez pas savoir comme ces discussions étaient drôles. Elles recommençaient presque tous les jours, nous déjeunions et nous dînions ensemble. Le pauvre Étienne me demandait gentiment :

— Tu es sûre que tu l'aimes vraiment ?

Oui, oui, j'en étais sûre. Je ne comprenais rien à rien. J'étais une petite provinciale qui n'avait rien vu, qui n'avait pas fréquenté d'hommes. Je ne connaissais rien à rien. À cause des romans que j'avais lus, je me prenais pour une héroïne, et je sortais des phrases lues dans les livres. Boy Capel, qui me comprenait, me rappelait à l'ordre :

— Cesse de mentir, Coco, cesse d'inventer des choses, tu ne dis que des mensonges. Où vas-tu chercher ce que tu racontes ?

Il me traitait comme une enfant, et il avait raison. »

Selon Louise de Vilmorin, Coco tomba amoureuse de Capel au premier regard ; il ressemblait à Rudolf Valentino, disait Louise. Elle avait commencé à écrire une vie de Chanel.

« J'écoutais parler Coco, je prenais des notes que je lui montrais le lendemain ; elle les déchirait. »

Louise levait les yeux au ciel. Sa collaboration avec Coco ne pouvait pas durer. Je tiens d'elle ces quelques détails sur le coup de foudre de Coco pour Capel. Ils étaient à Pau, pour des chasses à courre avec Balsan. Ayant appris que Boy rentrait à Paris, Coco griffonna un mot d'adieu pour Étienne : *« Je m'en vais avec lui, pardonne-moi, je l'aime. »* Sans le moindre bagage, elle s'installa sur un banc de la gare de Pau, attendant Boy. Comment allait-il réagir en la découvrant ?

« Il ouvrit les bras », racontait Louise.

Elle avait ajouté :

« Coco aurait pu prendre le temps de boucler une valise, elle connaissait fort bien l'heure du train du soir, il n'y en avait qu'un. »

Louise ajoutait que Boy avait porté Coco jusqu'à son *sleeping*.

« J'espère qu'il en a trouvé un second, disait-elle, car même seul on dormait très mal dans un *sleeping*. »

Chez les Balsan, on laisse entendre que le passage d'Étienne à Boy se fit entre *gentlemen*.

— Elle te plaît vraiment ?

— Ma foi…

— Elle est à toi, mon cher.

Et, pour fêter l'événement, Étienne aurait demandé au maître d'hôtel d'apporter du champagne.

Pour retrouver la vérité, le plausible, partons de la formule si éloquente de Coco : « J'ai commencé à faire des chapeaux parce que deux hommes se disputaient ma petite personne. » À Royallieu, elle a bientôt fait le point : avec Balsan, qui l'entretient, elle en convient, elle ne sera rien de mieux qu'une cocotte, et encore, une cocotte de second choix, moins brillante qu'Émilienne d'Alençon ou que Liane de Pougy. Cocteau a tracé un portrait d'Émilienne[1] : « C'est la brave fille. Blonde et le nez en l'air, les yeux rieurs, elle ne se comporte pas

1. *Portraits souvenirs, 1900-1914*, Grasset.

comme ses compagnes. Après les grandes tragédiennes de Maxim's, voilà la comédienne, une Jeanne Granier de la galanterie, un copain des jockeys et des gigolos. Elle a des fossettes et fait halte entre les tables. Elle serre des mains, elle interroge. Elle répond, mais l'Émilienne que vous voyez n'est plus de notre époque, vos visages la déroutent. Vaguement elle s'étonne et se demande si elle ne s'est pas trompée de restaurant. Elle lève ses yeux candides. Elle reconnaît les écussons de cuivre, les arabesques d'acajou. Elle ne comprend pas. »

Tout en traitant impitoyablement Émilienne de *vieille*, Coco n'oubliait pas ce qu'elle devait à la femme qui l'avait prise sous son aile. Jusqu'où allait l'amitié ? Dans ses mémoires, l'époustouflante Liane de Pougy écrit tranquillement que ces dames, en général, préféraient leurs douces peaux aux cuirs rugueux de leurs entreteneurs.

Depuis Moulins, Coco faisait des chapeaux. Il est évident qu'elle possédait un don pour arranger quelque chose d'original et de charmant avec trois fois rien. Elle l'a dit : elle achetait une forme aux Galeries Lafayette et collait un machin dessus. Et ça produisait un effet bœuf, comme on disait. Les modistes construisaient des chapeaux fabuleux, avec des plumes d'autruches, des fleurs (les violettes de Parme !), avec des oiseaux. Les chapeaux de Coco tranchaient par une simplicité presque provocante ; on défiait quasiment l'*establishment* en les portant. Mais puisqu'on se faisait admirer !

Émilienne d'Alençon adopta un canotier de Coco. Chez Maxim's ou ailleurs, on la regardait. Tiens, où a-t-elle trouvé ce truc-là ? La comédienne Dorziat se montra en scène avec un chapeau de Coco. On en parlait. Ça pourrait donc marcher, pensait Coco. En même temps elle avançait vers une découverte, pas très clairement formulée sans doute, mais qui alimentait l'impatience qui la gagnait : Ces gens-là, de ce milieu dans lequel le hasard l'avait projetée, on pouvait leur prendre beaucoup d'argent. Plus on leur en demandait, plus ils vous prenaient au sérieux. Et, bien entendu, Boy Capel n'allait pas étouffer son enthousiasme naissant en soutenant le contraire. Il vivait du grand monde, intelligemment, en très brillant parasite.

« Ils ont fini par se décider et par m'offrir une petite boutique », dit Coco. Cela ne s'est pas fait du jour au lendemain. Elle aimait bien Balsan. Elle dépendait de lui. Quand l'installa-t-il au Ritz en payant tout ? Quand elle vint à Paris, pour les chapeaux. Balsan mettait aussi à sa disposition une garçonnière qu'il n'utilisait plus guère, boulevard Malesherbes. Capel habitait à côté. Balsan ayant fourni le fonds, Capel ne pouvait faire moins que d'avancer les fonds. Il ouvrit un crédit bancaire :

« Je ne pouvais pas signer, je n'avais pas l'âge », affirmait tranquillement Coco.

Elle avait vingt-six ans.

« Ils avaient décidé de me donner un endroit pour faire mes chapeaux comme ils m'auraient donné un jouet en pensant : laissons-la s'amuser, on verra bien. Ils ne comprenaient pas combien c'était important pour moi. D'ailleurs je ne comprenais rien non plus à ce qui m'arrivait. »

On peut essayer de mettre les choses à plat. Pour Balsan, on l'a lu, Coco est une camarade-maîtresse rigolote, souvent encombrante. Elle ne cesse de s'inquiéter ; qu'est-ce que je vais devenir ?

— Tu n'es pas bien ?

— Si, mais demain, après-demain…

Quand un homme veut vraiment faire un cadeau à une femme, il l'épouse. Coco me l'a dit à propos de l'un de ses mannequins. À vingt ans, pour elle, c'était une vérité d'évangile. Espérait-elle que Balsan l'épouserait ?

Si cela avait traversé son esprit, elle ne s'en souvenait plus, on s'en doute. Mais Balsan ? Comment prenait-il les plaintes de Coco ? Qu'est-ce que je deviendrai, moi ?

« Je ne me souciais que de moi. »

Elle l'admettait. Elle gérait son seul capital : une beauté insolite, un charme acidulé. Pour combien de temps ? Elle m'a raconté en riant un souvenir révélateur. Elle n'aimait pas les huîtres. Très jeune, elle avait passé des vacances du côté d'Arcachon avec sa sœur Antoinette. On les envoyait respirer le *bon air* pour fortifier leurs bronches.

« On n'allait pas à l'hôtel. On nous casait chez des gens très simples. Lui était nettoyeur d'huîtres dans un parc. Je l'accompagnais tous les matins sur sa barcasse. Il me préparait une huître, coupait la barbe et me la présentait. Pouah ! Je crachais ça. »

Mais quand elle dînait chez Maxim's ou ailleurs avec Étienne ? Au Ritz, pour s'habituer aux huîtres, elle en faisait monter dans sa chambre.

« J'invitais la femme de chambre à les manger avec moi. Elle ne les aimait pas non plus, elle n'en voulait pas. Je lui disais : Fais un effort, tu es jeune, tu es jolie, tu seras peut-être obligée un jour de manger des huîtres, tu trouveras… »

Elle allait dire : tu trouveras comme moi un amant riche qui t'emmènera dans des endroits où il faut manger des huîtres. Prépare-toi !

«… Tu trouveras un gentil mari qui voudra te faire plaisir en rapportant des huîtres. »

La pirouette traduisait parfaitement les sentiments qui la dirigeaient à Royallieu, quand sa vie de femme dépendait de l'homme.

Balsan *payait* ; il se sentait quitte. Il en avait les moyens. Capel n'était pas aussi riche que lui ; il allait faire sa fortune pendant la guerre, avec l'appui de

Clemenceau. Il n'avait pas les moyens de régler les notes de Coco au Ritz.

Il faut certainement attacher plus d'importance à ces rencontres à trois dont elle se souvient : on se voyait tous les jours, on déjeunait, on dînait ensemble. Un trio, un autre *attelage* ? Pendant un temps, probablement ; pas officiel, mais quoi ! Balsan n'était pas du type jaloux. Qu'est-ce qui comptait ? D'abord, les chevaux. Pour le reste, vive la vie ! Il y a probablement un fond de vérité dans la version Balsan du passage de Coco de Balsan à Capel :

— Si elle t'intéresse, mon cher, elle est à toi.

— Je n'ai pas les moyens, mon cher.

— Je veux bien faire quelque chose. Puisqu'elle désire se lancer dans la mode, qu'elle prenne ma garçonnière. Je ne ferai rien de plus. De toute façon, je pars pour le Brésil pour un bon bout de temps.

Eût-il aidé Coco si Boy ne l'avait pas soutenue de son côté ? Sûrement pas. Coco se servait de la rivalité, très amicale en apparence, qui, malgré tout, opposait Balsan et Capel.

À Moulins, je le répète, Boy n'aurait sans doute pas prêté la même attention à Coco qu'à Royallieu, où il la découvrait *valorisée* par sa liaison avec Balsan. Très jolie, d'une beauté insolite, agressive avec drôlerie, impitoyable pour toutes les autres femmes : elles sont moches, elles sont *sales*. C'était la blessure mortelle : *sale*. Au fond d'elle-même, Coco s'interrogeait : pourquoi riaient-ils tous des horreurs parfaitement gratuites qu'elle proférait pour se donner contenance et parce qu'elle tremblait de peur ?

« J'étais une petite fille effrayée par tout, une petite provinciale qui ne savait rien. »

L'agressivité paie ; elle l'enregistrait. Elle découvrait en écoutant les gens que le Tout-Paris fait du bruit pour rien, que son assurance est superficielle, qu'il suffit de peu pour l'étonner.

« Réussir à Paris n'est pas difficile, me disait Cocteau (à la Libération), le difficile, c'est de durer. Moi cela fait trente ans que je les emmerde. »

Les ? Il parlait des mêmes gens que Coco quand elle soupirait : « Ah ! *ils* m'en ont fait voir. » Elle allait *les avoir*. Et durer.

Écoutons Coco parler de Boy :

« J'aurais pu épouser Boy Capel. Je lui étais destinée. Nous étions faits l'un pour l'autre. Il m'adorait. Je l'adorais aussi. Qu'il soit là et qu'il m'aime, et qu'il sache que je l'aime, le reste n'avait plus d'importance.

Je lui disais toute la journée :

— Je saurai si je t'aime quand je n'aurai plus besoin de toi.

J'étais idiote ? Je ne voulais pas qu'il m'empêche de faire ce que je voulais. Il travaillait beaucoup. J'avais compris qu'on n'arrive à rien sans travailler. Je m'ennuyais à mourir. Personne ne peut s'imaginer ce qu'est une petite fille qui s'embête. Il fallait que je fasse ce commerce qui a très bien marché. Pas tout de suite, pas au début, parce que je ne comprenais rien, mais dès que j'ai compris… J'ai eu de la chance, j'ai profité d'un concours de circonstances[1].

Toutes les femmes couraient après cet homme que je devais épouser. Je n'en savais rien ; je n'étais pas jalouse. Je disais :

— Comme c'est curieux, toutes les femmes te regardent.

— C'est toi qu'elles regardent, espèce d'idiote.

---

1. On lui avait trouvé quelqu'un pour l'aider. Lucienne Rebaté qui devait par la suite faire le bonheur de Caroline Reboux.

Ça m'était indifférent. Je me trouvais laide mais j'étais sûre et certaine qu'il n'aimait vraiment que moi. À dix-huit ans, on a des certitudes comme ça. [Elle en avait plus de vingt-cinq.] Voilà un garçon qui a fait sa fortune lui-même et qui trouvait le temps d'écrire[1]. Il avait vécu aux Indes assez longtemps et se préoccupait d'ésotérisme. Du moment que ça l'intéressait, j'ai voulu, moi aussi, comprendre ce qu'il cherchait. Je n'admettais pas qu'il fasse quelque chose que je ne faisais pas. Toutes ses occupations ne l'empêchaient pas de me tromper à longueur de journée ; ça n'avait pas d'importance, j'étais tellement sûre qu'il n'aimait que moi. Qu'il couche avec des dames… je trouvais ça sale, un peu dégoûtant, mais je m'en fichais. La vie était différente. C'est difficile de parler d'une époque, tout était décalé. Tout a changé, maintenant, et c'est pourquoi plus rien ne m'amuse. C'est curieux de regarder, derrière soi, cette époque qui n'est pas si loin. Et plus rien n'est pareil, on se sent ridicule quand on évoque le passé.

Nous menions une vie heureuse. Balsan était parti pour le Brésil, en principe pour quelques mois. Il y est resté un an. Je me fichais de ce qu'il pensait, je me le répétais. Je ne l'aimais pas. Il savait que ça finirait entre nous. Il s'est montré généreux. Après tant de larmes. On ne peut s'imaginer ce romantisme échevelé. Non, les hommes ne pleuraient pas, moi, je pleurais, parce qu'ils me disaient des choses qui me faisaient mal. Que pouvais-je faire ? Les débarrasser de ma présence ? Je me disais qu'il ne me restait qu'à me jeter dans la Seine. Je me portais assez mal. Je m'évanouissais facilement. On me retrouvait sans connaissance dans un coin. Cela m'est arrivé plusieurs fois aux courses. Un jour,

1. Pour la fortune, Boy ne partait pas de zéro. Il avait des intérêts dans des charbonnages anglais. En 1917, il publia un essai, *Réflexions sur la Victoire*, avec un projet de fédération des gouvernements.

imaginez cela, je me réveille dans un endroit bizarre, avec des jockeys autour de moi qui me regardaient. Un bonhomme explique à Boy Capel que j'étais ivre. C'était à Maisons-Laffitte. Nous avions déjeuné avec un entraîneur. J'ai dû prendre froid. On se porte mal quand on est jeune. Je me porte mieux, maintenant. Je vivais trop intensément. Mes nerfs me lâchaient, j'avais l'impression par moments que tout s'éloignait de moi, c'était affreux. Je tombais, je perdais connaissance. On m'a portée chez la dame pipi. Elle demandait qu'on me laisse tranquille. Je manquais d'air, disait-elle. On m'a fait boire quelque chose, j'ai bu et je suis partie en remerciant tout le monde. J'ai marché, pas loin, je suis encore tombée et, cette fois, on m'a emmenée chez les jockeys[1]. Le bonhomme me croyait ivre parce que mon haleine était chargée d'un parfum de rhum, on avait dû m'en faire boire. Boy a protesté :

— Ivre, elle ? Elle ne boit rien.

On me parle tout le temps d'histoires de nerfs. Pendant deux ans, je n'ai pas pu traverser une rue. Je n'osais plus entrer dans une église ; j'ai cessé d'aller à la messe, que je suivais encore par politesse. Je ne pouvais plus assister à un concert. Dès qu'il y avait du monde, je me sentais perdue. Boy m'a guérie en faisant preuve d'une patience extraordinaire. Il m'emmenait dans les endroits où il y avait du monde :

— Tu crains de t'évanouir ? Évanouis-toi, je suis là, il ne peut rien t'arriver.

On m'avait ramenée plusieurs fois à la maison. On me croyait morte, ça durait une demi-heure. Quand je ne m'évanouissais pas, je craignais de m'évanouir. Il m'arrivait de prendre un taxi pour traverser la rue. Boy m'a guérie :

1. Dans leur infirmerie.

— Tu veux t'évanouir ? Fais-le ! Laisse-toi aller, ça me ferait plaisir de te voir évanouie au moins une fois.

En sa présence, je ne m'évanouissais jamais. Les médecins disaient tous des bêtises. Boy m'a conduite chez un de ses amis qui a dit :

— Ce sont des choses qui arrivent aux jeunes femmes, il faut leur foutre la paix.

Ça tenait à trop d'émotions, à trop d'histoires, à un changement de vie total. Je vivais enfin mes romans, mais très mal. M. Decourcelle m'a beaucoup servi. Je m'identifiais à ses héroïnes.

— Qu'est-ce que tu racontes ? demandait Boy.

Je mentais comme un arracheur de dents, parce que je ne voulais pas passer pour une provinciale qui ne sait rien. Boy me mettait en garde :

— Tu mens, tu racontes des choses qui ne te sont jamais arrivées.

— Je les ai un peu arrangées.

— Tu ferais mieux de dire la vérité.

J'étais la personne dont on parlait le plus ; je n'en savais rien. Tout le monde voulait me connaître, savoir où je m'habillais. On avait besoin d'un changement, on arrivait à la fin de quelque chose, à la fin d'une époque hideuse, tout était laid. Les femmes étaient mal habillées, prises dans des gaines Parabère, ça s'appelait comme ça. La poitrine remontée, le derrière qui ressortait, très serrées à la taille, c'étaient des toilettes, les femmes étaient dans des toilettes. La mode était faite par les comédiennes et par les cocottes, les pauvres dames du monde suivaient. On mettait des oiseaux dans les cheveux, on avait de faux cheveux partout. Les robes traînaient par terre, on ramassait tout.

Je me souviens de Marthe Letellier, une femme très élégante, elle se promenait dans une robe de drap blanc avec de la fourrure en bas pour mieux ramasser la poussière, c'était à Auteuil ou à Longchamp. Je portais des chaussures à talons plats, une horreur à l'époque. Avec des talons hauts je me serais flanquée par terre. Je ne sais toujours pas marcher avec des talons hauts.

Je suis devenue célèbre tout à coup, sans le savoir ; je ne savais pas ce que c'est, la célébrité. Je n'ai jamais recherché ça, ça m'est tombé dessus. Et voyez, pour ça aussi j'ai lancé une mode : les couturiers sont maintenant à la mode. Avant moi, ce n'était pas vrai. On ne savait rien d'un homme remarquable comme M. Doucet. Allez voir sa bibliothèque, vous comprendrez ce qu'il a fait pour les artistes. On l'ignorait parce qu'il était couturier. Ses clientes ne le saluaient pas s'il leur arrivait de le croiser. C'est bizarre, mais vrai. Entre 1914 et 1919, la vie a complètement changé.

La guerre m'a aidée. Dans les catastrophes, on se révèle. Je me suis réveillée célèbre en 1919. Si je l'avais compris, je me serais cachée sous une table pour pleurer. J'étais stupide, sensible et bête. »

Le démarrage à Paris avait été difficile mais le succès s'était rapidement confirmé. Non seulement Coco faisait des chapeaux originaux, mais elle avait des idées, pour les écharpes, les blouses de jockeys. Elle avait appelé Adrienne auprès d'elle et sa petite sœur Antoinette. Les Trois Grâces de Moulins se retrouvaient, dans un décor très différent. Elles créaient dans la boutique, l'ancienne garçonnière de Balsan, un climat de liberté. Il fallut bientôt déménager, c'était trop petit. Coco trouva mieux, et déjà rue Cambon, sa rue, en 1910. C'étaient des années heureuses. Boy Capel sortait beaucoup avec sa bien-aimée. Ils faisaient de bonnes affaires, constituant une association pour la vie en quelque sorte. Il fut pour beaucoup dans l'ouverture d'une boutique à Deauville, juste avant la guerre ; et, pendant la guerre, dans le lancement d'une autre boutique à Biarritz. À cause de la guerre, Deauville d'abord, Biarritz ensuite, furent des havres de bonheur pour les privilégiés, on disait encore les *happy few*. L'équivalent, pour la joie de vivre, de ce que sont aujourd'hui les paradis fiscaux, Monte-Carlo, le Liechtenstein. Il ne serait pas venu à l'idée de Coco de servir la patrie malheureuse comme infirmière. Elle envoyait des colis à ses frères mobilisés, c'était l'essentiel de son effort de guerre. Et quelle prospérité tout à coup ! Voici comment elle racontait ses débuts de couturière :

« J'ai coupé un vieux jersey sur le devant, pour ne pas l'enfiler par-dessus la tête. J'ai cousu un ruban là.

(Ses pouces et ses index glissent sur le bord de sa veste.)

J'ai mis un col et un nœud là. Tout le monde s'est extasié :

— Où avez-vous trouvé cette robe !

— Si elle vous plaît, je vous la vends.

On m'a demandé le prix. J'ai dit qu'il fallait que je me renseigne. J'ai vendu tout de suite dix robes comme ça. Mon cher, j'ai bâti ma fortune sur ce vieux jersey que j'avais mis sur moi parce qu'il faisait froid à Deauville. Avec les Anglais, ça passe, personne n'avait fait attention à ça. Ils n'allaient pas me dire que j'étais jolie dans cette tenue. Un jour, je les regardais jouer au polo. J'avais froid. J'ai enfilé un sweater d'homme. Je ne savais pas à qui il était. Ensuite, j'ai utilisé mon mouchoir pour l'attacher. On a déclaré la guerre, on en parlait beaucoup déjà mais la vie continuait, à Deauville. La guerre m'embêtait. Je n'étais pas loin de penser que les Allemands la faisaient pour m'empêcher de vendre des chapeaux. Je voulais devenir indépendante en travaillant, rien d'autre ne m'intéressait. »

Le style Chanel était né. Il s'est trouvé que Rodier, le fabricant de tissus, disposait d'un stock de jersey beige qu'il craignait de ne pouvoir écouler. Chanel avait trouvé son fournisseur. C'est une histoire qui rappelle celle de Jean Prouvost. Il expliquait qu'il avait fait fortune avec ses journaux parce qu'il utilisa un stock de papier satiné que les papetiers Beghin n'arrivaient pas à épuiser. Boy avait le sens de ce genre d'affaires. De l'audace ! Toujours de l'audace ! Il rappelait dans son livre, paru en 1917, que la Révolution française avait été faite par des hommes de moins de trente ans. Les vieux mangent les jeunes, écrivait-il. Avec Coco, c'était l'inverse. Avec sa ligne improvisée sur un terrain de polo, en gros une robe sac, dans un tissu confortable, avec un foulard en guise de ceinture, elle annonçait son règne. N'est-ce pas admirable ? Une journaliste américaine en prit conscience, sans doute à Biarritz. Dans un numéro de *Harper's Bazaar* de 1916, on trouve le premier modèle Chanel jamais reproduit par la presse : *Chanel's charming chemise dress*, « la charmante robe chemise de Chanel ». Les journaux français n'en firent état qu'après la guerre. Pour l'Amérique, on allait le comprendre après son *come-back*, en 1954, Chanel était le messie de la mode, attendu par les confectionneurs de la Troisième Avenue.

Pourquoi Coco n'a-t-elle pas épousé Boy Capel ? Alors que la victoire était proche, en 1918, Boy se maria avec une très jolie Anglaise, ambulancière, veuve de guerre, fille et belle-fille de lords, Diana Lister, fille du baron Ribblesdale. Une revanche mondaine pour le sans-famille Capel ? Célébré à Beaufort Castle, dans la chapelle privée de Lord Lovat, le mariage n'avait évidemment rien de commun avec les noces plus ou moins paysannes que la joyeuse bande de Balsan organisait pour rire à

Royallieu, avec Émilienne d'Alençon en voiles blancs, Coco en garçon d'honneur, dans un costume de la Samaritaine, flanquant la demoiselle d'honneur Dorziat. Capel faisait alors partie du cortège. À quoi pensait-il dans la chapelle de Beaufort Castle ? C'était pour lui le couronnement d'une ambition. Il avait l'argent. Sa femme lui apportait la *gentry* en dot. Comment le prit Coco ? Pendant les fiançailles de Boy, assez longues, elle habitait avec lui quand il venait à Paris pour s'occuper de ses affaires de charbon. Chez lui ou chez elle. Elle avait depuis longtemps remboursé les avances qu'il avait consenties pour la boutique de Biarritz. Et Deauville ? Quelles étaient leurs conventions financières, non écrites ? Quand on ouvrit le testament de Boy, on découvrit qu'il léguait 30 000 livres sterling à Coco, une somme énorme. Quelle association étrange. Ils avaient tout ensemble, et pourtant, l'un comme l'autre désirait autre chose.

« Nous nous aimions, nous aurions pu nous marier », murmurait Coco.

Nous aurions pu mais… Boy *savait*. Et, surtout, Coco savait qu'il savait. En prenant le relais d'Étienne, dans des conditions bizarres, après une période de partage, Boy endossait un passé plutôt trouble, dont Étienne lui avait parlé. Qu'avait raconté Balsan ? La première rencontre ? Un beuglant ? Les week-ends chez dame Maud ? Éventuellement l'histoire de la faiseuse d'anges ? Tout ce que Coco cherchait à oublier, sur quoi elle jetait des pelletées de terre et de feuilles mortes. Elle allait passer sa vie à rompre avec des amis (ou amies) qui connaissaient des bribes de sa vie qu'elle jugeait défavorables à sa légende. Alors que Balsan s'effaçait, pouvait-elle rester avec Boy ? *Régulariser* ? Elle l'aimait, oui. Lui aussi, il aimait Coco, elle en restait convaincue. Lui avait-il jamais demandé de l'épouser ? Pas sûr du tout, et même très improbable. Il rêvait de s'établir dans la *gentry* anglaise, de se faire, aussi, une situation mondaine. Coco ne pouvait évidemment pas lui apporter ça. Elle ne pourrait pas davantage donner au duc de Westminster l'héritier qu'il souhaitait et, pour Westminster comme pour Boy, elle recula devant le mariage parce qu'elle ne se trouvait pas qualifiée pour ce rôle.

Qu'elle ait éprouvé pour Capel le grand amour de sa vie semble certain. Si elle s'était sentie trahie en apprenant ses fiançailles, l'eût-elle revu ? *De savoir qu'il m'aime et que je l'aime.* La bague au doigt ? Pourquoi ?

Dans son bilan d'amour, Balsan et Capel se complétaient. Elle affirmait avoir vu Balsan en larmes au retour du Brésil :

« Tu es bien sûre que tu l'aimes ? Tu ne veux pas revenir ? »

On m'a raconté qu'elle avait rendu à Balsan quelques bijoux qu'il lui aurait donnés, ne conservant qu'une modeste bague en or ornée d'une miette de topaze.

« Je la porterai toute ma vie », aurait-elle dit à Jacques Balsan, le frère aîné, en lui remettant les autres joyaux.

Si l'histoire est tirée d'un feuilleton de Pierre Decourcelle, elle n'en prouve pas moins que Coco sortait de sa chrysalide. J'ai vu une petite bague à son doigt.

« C'est un talisman, disait-elle, ma première bague, qu'une amie m'a offerte quand j'étais très jeune. »

Que conservait-elle de Capel[1] ? Ils ne se faisaient pas de cadeaux, peut-on penser, ils menaient ensemble de brûlantes affaires, ils *réussissaient* à deux, en même temps, et ça, ça les liait plus que tout.

Après la mort de Boy, dans un accident de voiture sur la Côte d'Azur (où Coco devait le retrouver ?), Coco

---

1. Des feuillets de son manuscrit de 1917, dit Mme Charles-Roux dans *L'Irrégulière*, qu'elle ne montrait qu'aux grands intimes. Je ne les ai jamais vus.

s'est sentie *veuve*. Étrange. Elle connaissait la femme de Boy, elle l'habillait (et cela continua). Elle était la marraine de leur premier enfant, une fille. Diana Capel en eut une seconde quelques mois après l'accident.

Au terme de sa vie, durant ses monologues épuisants (*ses radotages*), il était normal que Coco *fabulât* sur ce grand amour non pas manqué, mais qui avait tourné court de façon tragique. Voici comment elle en parlait :

« Ma vie sentimentale s'est désorganisée parce que l'être que j'aimais est mort et qu'alors plus rien ne m'intéressait que les choses ésotériques.

Les Sert ont été très gentils[1]. Ils m'ont sauvée ; peut-être eût-il mieux valu qu'ils ne me sauvent pas. Ils m'ont emmenée en Italie de force ; j'avais pourtant décidé de ne pas y aller. Je pleurais depuis des jours, depuis des semaines, depuis des mois. Je ne pouvais que pleurer. En Italie je continuais à pleurer. Les Sert m'ont retrouvée en larmes au fond d'une église. Misia vous dirait qu'il s'est produit un miracle, un joli miracle d'ailleurs. Elle m'avait dit :

— Nous devrions voir Saint-Antoine de Padoue.

Nous étions à Venise. Padoue se trouve tout près.

— Cela te fera du bien, disait Misia. Tu verras son tombeau, tu pourras le toucher et je te jure que si tu lui demandes la paix…

Je ne demandais que ça, la paix, mourir en paix. On est allés à Padoue, avec Sert. On ne vit plus comme lui. C'était un personnage de la Renaissance. Les Sert n'avaient pas le sou et ils étaient somptueux. On vivait avec eux dans une sorte de folie. On se levait Dieu sait à quelle heure, on montait en voiture. Ils étaient crasseux, ils ne se lavaient jamais, moi je me lavais le soir,

1. Misia et José Maria Sert. Il en sera question plus longuement (voir p. 86).

je savais que je n'aurais pas le temps, le matin. Eux, jamais ! Ils étaient divertissants. Ils n'étaient pas encore mariés et ne pouvaient donc pas faire de mondanités ; par la suite ils sont devenus très mondains. Sert m'avait prise en affection ; tous deux étaient divins avec moi. C'était merveilleux de voyager avec eux, ils adoraient la peinture. On visitait les musées. J'ai beaucoup appris. Je me trouvais dans une tristesse abominable, sans eux je serais morte dans une espèce d'imbécillité.

Nous sommes donc allés au tombeau de saint Antoine. Misia m'a dit :

— Agenouille-toi, demande la paix. Il arrivera quelque chose.

Je me suis agenouillée en pensant à autre chose, parce que je ne croyais pas à ce genre de fanatisme ; j'ai plutôt de la superstition. Mais j'ai vu alors un homme si malheureux. Je voyais son visage, je voyais un tel désespoir sur ce visage… Et j'osais me plaindre ! Je me sentais coupable, je voulais demander à cet homme :

— Que puis-je faire pour vous, monsieur ? Racontez-moi ce qui vous fait souffrir, ça vous soulagera.

Moi, bien sûr, j'étais désespérée parce que quelqu'un que j'aimais avait disparu, mais je savais qu'il ne m'avait pas vraiment quittée et qu'il se trouvait simplement de l'autre côté. C'est pour ça que la théosophie est indispensable. Je me répétais :

« Puisqu'il est là, puisqu'il m'attend. Nous ne nous trouvons plus sur le même plan mais il ne me quitte pas, il veut mon bonheur. Je le sais et j'ose me plaindre devant cet homme qui s'appuie sur ce tombeau parce qu'il n'a plus rien à attendre de la vie. »

En sortant de l'église, j'étais une autre personne. J'ai très bien déjeuné, ce qui ne m'était plus arrivé depuis longtemps. Misia a tout de suite remarqué que je riais.

— Tu ris beaucoup !

— Oui, je ris et je rirai encore parce que le miracle s'est accompli. Je ne pleurerai plus, c'est fini.

Je n'ai plus pleuré. Nous sommes arrivés à Rome avec un Sert éblouissant. Il m'a demandé si je préférais voir le Colisée ou dîner. Nous sommes allés au Colisée. Sert racontait les fêtes sublimes que l'on pourrait y donner. Nous avons rôdaillé à travers Rome jusqu'à trois heures du matin. Je n'étais jamais venue, c'était la chose la plus divine, tout me semblait merveilleux, si beau et vivant.

Je suis une personne qui prend des décisions. J'ai demandé Paris au téléphone, je n'ai pas pu l'avoir. J'ai envoyé un long télégramme pour demander que l'on déménage mon appartement. Je n'y suis plus retournée. Au retour, je me suis réinstallée à l'Hôtel Ritz, c'est ma maison, le premier hôtel où j'ai habité. Quand j'habitais rue du Faubourg Saint-Honoré… Je ne supporte pas les lendemains de fête. Les domestiques sont de mauvaise humeur, ils sont fatigués, ils n'étaient pas à la fête, eux, la maison est sale, il faut tout remettre en ordre. Je partais, je m'installais à l'Hôtel Ritz pour trois jours. Je fuis la mauvaise humeur, je n'aime pas les grincheux, je n'aime pas le malheur. Bien sûr, il faut l'accepter quand il vous tombe dessus, mais je ne l'aime pas, ni pour moi ni pour les autres, je n'ai pas le goût des catastrophes comme certains ; ils mériteraient que ça leur tombe dessus. Les fausses maladies, les drames de rien…

Les complexes aussi ! Qu'est-ce que c'est que ça ? Je n'ai jamais eu de complexes. Si j'en ai eu, c'était de supériorité ; jamais de complexe d'infériorité envers quiconque. Je suis allergique aux complexes. Ce sont des mots nouveaux. Personne n'avait de complexes. On était plus ou moins bien-portant mais on n'avait pas de complexes. Les vices deviennent des maladies et des complexes, ça me dégoûte, je préfère les vices. Des gens vicieux, on en a toujours connus, mais ces gens d'aujourd'hui auxquels il faut des complications extraordinaires pour tout faire, y compris les enfants... Il y avait des choses dont on ne parlait pas. On ne peut pas guérir des gens qui ne savent pas s'ils aiment les hommes ou les femmes. Je ne comprends rien à tout ça.

Je connais un pauvre type qui ne sait plus s'il aime sa femme et ses enfants ou s'il aime un jeune homme. Je lui ai dit d'aller se faire pendre. Je vis entourée de gens qui ont des complexes. Si ce sont des malades, qu'on les mette dans une maison de santé.

La vie devient très ennuyeuse et, pour vous dire la vérité, je n'ai peur que d'une chose, de m'ennuyer quand les robes ne m'amuseront plus. Le moment sera venu de passer tranquillement à une autre dimension. »

Peur de s'ennuyer... Cette crainte, déjà, la séparait de Capel. Elle l'aimait, ils auraient pu... Oui, oui, mais c'était fantastique de créer la maison Chanel. Ses premières robes, affirmait-elle, elle les faisait avec des modistes, parce qu'elle ignorait qu'il existait des couturières spécialisées dans ce travail nouveau. Bien entendu, elle exagérait. Elle employait les modistes qu'elle connaissait parce que de vraies couturières l'eussent intimidée (si l'on peut dire) par leur savoir-faire. Partant de là après la Grande Guerre, en 1938 elle vendait 28 000 robes en Europe, au Proche-Orient et en Amérique du Sud. Elle employait 4 000 ouvrières.

« Comment me suis-je débrouillée pour faire tout ça, murmurait-elle, et pour avoir quand même une vie plus remplie d'amour que la plupart des femmes que je vois ? »

Il faut bien dire que, entre *tout ça* et la vie remplie d'amour, elle n'avait pas balancé.

Avec Misia Sert : le tourbillon parisien des années d'apprentissage

PARLANT DE l'après-Grande Guerre, Paul Morand estimait qu'il y avait alors à Paris sept cents personnes qui comptaient ; comme sous le Directoire, pas plus qu'à Versailles. Si toutes n'ont pas défilé rue Cambon, chez Coco, on peut penser que la plupart d'entre elles le souhaitaient à un moment ou à un autre, et que, souvent, ce vœu fut exaucé. Les écrivains, de Giraudoux à Drieu La Rochelle, les musiciens, de Satie à Auric, les cinéastes, les champions de tennis, des boxeurs qui marchaient dans l'ombre de Cocteau, sans parler des grands-ducs, tout le gratin de l'émigration russe. Une collection imposa des adaptations fabuleuses de la blouse du boyard, avec bottes et bonnets de fourrure assortis. Coco évoquait rarement ce tourbillon. Quand elle me parlait, elle s'intéressait aux événements de la journée ou de la veille et elle reprenait dans ses souvenirs ceux qui laissaient des marques.

Avec Balsan, elle vivait comme une recluse ; on parlait d'elle sans la voir, ou rarement. Elle sortait beaucoup avec Capel, qui aimait les soirées parisiennes, le théâtre, les ballets, les expositions. Il l'emmenait chez Maxim's. Elle se souvenait de ses premiers dîners là-bas, très mouvementés.

« J'étais encore une petite fille[1]. Trois hommes m'accompagnaient, dont un Anglais qui ne se laissait pas

1. Elle datait la scène : 1913. Elle avait trente ans.

impressionner[1]. Un couple s'est installé à côté de nous. Une femme a surgi aussitôt, et elle a dit à l'homme :

— Sors un instant !

L'homme l'a envoyée promener. Elle a cassé un verre et, avec le pied du verre, elle lui a lacéré le visage. Il y avait du sang partout. Je me suis sauvée tout de suite. [Elle faisait mine de se glisser sous la table.] J'ai grimpé l'escalier qui tournait, je suis entrée dans une pièce et je me suis cachée sous une table couverte d'une nappe. Quelle horreur ! Je pleurais parce que les trois hommes qui m'accompagnaient n'étaient pas intervenus. Ils avaient peur d'être éclaboussés de sang.

L'Anglais, très épris de moi, se demandait où j'avais disparu.

— Elle est rentrée chez elle, disaient les autres.

Il est parti à ma recherche :

— Avec elle, il faut s'attendre à tout.

Il m'a retrouvée sous la nappe. [Elle soulevait celle de sa table.]

— Coco, montre-toi !

Quand je suis retournée chez Maxim's pour déjeuner, un type est arrivé avec un revolver, obligeant tout le monde à lever les bras. Vous comprenez qu'après ça, pendant trente ans, je ne sois plus allée chez Maxim's. »

Histoires vraies ? Démarquées d'un feuilleton de Pierre Decourcelle ? On peut penser que Coco vécut à cette période des moments embarrassants : elle changeait de condition. Chez Maxim's, me faisait-elle remarquer, les tables sont hautes, c'est commode pour manger, mais pour les décolletés... Un soir, elle avait noué un foulard rouge autour de sa gorge, légèrement enflammée. Une amie lui avait téléphoné le lendemain :

---

1. Il s'agissait évidemment de Boy.

— Tu portais une robe rouge ?

« Elle n'avait vu que le foulard », sifflait Coco. Elle avait juré de ne jamais mettre une robe décolletée après avoir vu, toujours chez Maxim's, des femmes qui portaient des robes très échancrées, sans manches :

« On croyait qu'elles se trouvaient dans leur baignoire. »

Les cocottes trônaient encore chez Maxim's quand elle y faisait ses débuts, avec beaucoup d'angoisse, ses souvenirs le prouvent. Et que l'on pense aussi à l'entraînement qu'elle suivait dans sa chambre d'hôtel pour manger des huîtres. Elle tenait à bien jouer le jeu ; à Royallieu, elle enregistrait les conseils d'Émilienne, son premier professeur de bonnes manières. Elle m'a tout appris, me dit-elle ; elle disait la même chose de Misia Sert. Elle avait beaucoup à apprendre. Quand on la regarde dans le halo de sa réussite, on oublie d'où elle est partie.

Coco attribuait son assurance initiale à la vie fastueuse menée chez ses tantes, qui n'existaient que dans son imagination. Ça ne l'empêchait pas de marcher sur des coquilles d'œufs quand elle s'aventurait, les premières fois, dans les hauts lieux du parisianisme.

« J'ai commencé par avoir l'amitié de toutes les vieilles dames », m'a-t-elle confié en me parlant de Mme de Chevigné, qui avait servi de modèle à Proust pour Mme de Guermantes.

Elle avait connu Proust.

« Je l'ai vu une fois. Il croisait les mains sur son ventre. C'est un geste de femme. Il avait les yeux faits. »

Elle observait. Elle écoutait. Pas du tout conquise d'avance, pas du tout admirative *a priori*. D'une des vieilles dames auxquelles elle faisait une cour calculée, elle m'avait dit ceci :

« Elle savait tout ce qui s'apprend, rien de ce qui ne s'apprend pas. »

Pour elle, lors de ses débuts dans la vie parisienne, la formule pouvait se renverser : elle savait tout ce qui ne s'apprend pas, et presque rien de ce qui s'apprend. Mais elle apprenait vite. Il fallait se lever tôt pour l'épater. Elle comprit tout de suite que, pour les riches, le juste prix, c'était plus. Elle exploitait sa chance en paysanne, en prenant un maximum d'argent aux dadames enfanfreluchées qui essayaient ses chapeaux pour voir de près le petit phénomène qui, après Balsan, intéressait Capel. Elle s'amusait : des formes achetées aux Galeries Lafayette, bientôt aux fournisseurs des Galeries (il n'y a pas de petits profits), arrangées avec un machin, avec un truc, et tenez, madame, pour vous ce sera tant. Puisque tu es trop bête pour le faire toi-même, ma vieille, paie ! paie !

Lorsque Gabrielle Dorziat entendit parler de Coco pour la première fois, ce fut en ces termes :

« Il y a une petite modiste *marrante*… »

Ça n'aurait pas plu à Coco, mais elle n'aurait pas protesté. La réussite d'abord. Elle ne ressemblait à personne, elle faisait rire. C'était « un numéro », autre expression d'époque. Elle fit une de ses premières robes en jersey pour Dorziat, droite, très longue encore, avec une jaquette cardigan et un petit col de lapin. Le lapin était fourni par un fourreur qui débutait : Jacques Heim.

Le jersey ! Non seulement Coco Chanel disposait d'un stock à bon compte, mais elle n'aurait pas pu vendre des robes en drap *normal* parce qu'une couturière était installée dans la maison du boulevard Malesherbes où elle commença à vendre des chapeaux. On l'eût taxée de concurrence déloyale. Pour le jersey, rien à dire ; une couturière digne de ce nom ne faisait pas de robes avec ça. C'était bon pour les blazers des hommes.

Les « toilettes » portées avant Chanel, même simplifiées par Poiret, qui avait supprimé le corset en 1906 (et coupé les cheveux de ses mannequins en 1908), correspondaient aux ongles des impératrices ou des grandes courtisanes chinoises ; leur longueur mesurait leur importance sociale. Tout comme ces ongles effarants soumettaient les Chinoises les plus convoitées aux riches capables de payer leurs domestiques, la mode Belle Époque mettait les cocottes à la merci de leurs entreteneurs. Jean Cocteau a déshabillé la Belle Otero :

« Une panoplie de paillettes, de joyaux, de corsets, de baleines, de buses, de fleurs et de plumes harnache ce magnifique guerrier du plaisir. Vous la voyez s'avancer toute seule. Elle ne l'est pas. Jamais elle ne s'avance toute seule, mais le monsieur qui l'escorte a toujours été une ombre, une ombre chauve, à monocle et en frac. L'ombre en frac sait ce que coûtent ses feutres et ses castagnettes... Voyez-la qui toise ses collègues d'un œil de Minerve barbelé de cils. Voyez-la qui lance ses feux noirs. Voyez-la qui brave les toréadors. »

Est-ce que Coco Chanel, dans sa première boutique, à Deauville, à Biarritz, comprenait qu'elle inventait un nouvel art de vivre pour les femmes ? *J'ai eu de la chance, je suis tombée au bon moment.*

Je me suis toujours fichue de l'argent. N'empêche que, le soir, Coco regardait ce qu'il y avait dans les caisses. Fantastique ! Une manne constamment renouvelée, rafraîchie. Est-ce que je ne rêve pas ? Est-ce vraiment si facile de faire fortune ? C'était fou le chemin parcouru en dix ans, oh ! pas toujours facile, mais finalement... Si elle avait épousé un notaire bedonnant ? Si elle avait dû se placer comme *bonniche* ? Les couleuvres avalées lui donnaient de l'estomac. Elle avait connu l'argent par les riches qui lésinent sur l'essentiel, quitte à se ruiner pour le superflu.

Nous sommes belles, nous sommes libres, c'était la proclamation, non écrite mais très apparente, collée aux frontons des boutiques de Coco. Pas bégueules, les Trois Grâces. Pour obtenir un *oui*, on ne passait pas obligatoirement par un notaire et devant monsieur le curé, ça dépendait d'elles, de leur envie de plaisir et de bonheur. Le plaisir se séparait du bonheur ? Sans doute. C'était très nouveau, on ne le comprenait pas très bien, mais on devinait que quelque chose commençait et cela fascinait. Si Coco n'avait eu à vendre que des chapeaux et du jersey, elle aurait amassé beaucoup d'argent mais que resterait-il de Mademoiselle Chanel ? Elle symbolisait pour les femmes la grande illusion du siècle, l'indépendance par (pour) le plaisir.

Aux Trois Grâces s'était jointe une ravissante chanteuse de l'Opéra-Comique, Marthe Davelli, si proche de Coco physiquement qu'on en arrive à les confondre sur les photos vieillies. Laquelle empruntait à l'autre sa façon de s'habiller, de se coiffer, de se maquiller ? On se souvient d'elles comme de la cigale et de la fourmi, Coco étant la fourmi ; cela n'apparaissait pas sur les visages. Elle ne me parla jamais de cette amie intime qui eut certainement de l'importance pour elle ; elle la rencontra du temps de Boy, en même temps que le succès. Ah ! ces années d'avant-guerre, quand le Plaisir s'appelait Paris ! Marthe Davelli se fit construire une maison sur la Côte basque près de Saint-Jean-de-Luz. Coco acheta une grande propriété à Biarritz et, sur la côte des Landes, une retraite, un nid d'amour, où elle vécut une jolie lune de miel avec le grand-duc Dimitri ; pas tellement longtemps après la mort de Boy.

Marthe Davelli épousa un Say de la dynastie sucrière, dont la fortune fut ébranlée par un krach. Elle mourut à l'hôpital américain alors que Coco réussissait son *come-back* en 1955. Elles ne se voyaient plus. Coco se rendit à son chevet.

« Elle est restée un quart d'heure », murmura l'ancienne chanteuse, extasiée, avant de fermer les yeux.

Sur des photographies prises en 1917 à Biarritz, on voit Coco et Davelli jouer au golf ; ou sur la plage, en maillot, les jambes gainées de soie. Avec elles, Boy Capel, Valentino gominé, venu se *reposer* des horreurs de la guerre ; il faisait des millions avec le charbon. On aperçoit aussi des messieurs en pantalons blancs, blazer, canotier de guingois : Edmond Rostand et Pierre Decourcelle. Coco pleurait moins facilement au théâtre. Elle ne lisait plus de romans-feuilletons. Pour rattraper ses retards culturels, elle suivait avec passion les cours de son amie Misia, qui allait se remarier pour la troisième fois avec un peintre espagnol, José Maria Sert.

Née Godebska, d'un père polonais et d'une mère russe, Misia était ce qu'on l'on appelait une *aventurière* dans les milieux bien. Une créature fascinante, la beauté, le charme, l'esprit, l'intelligence, le goût. Elle avait cinq ans quand le vieux Liszt l'installa sur ses genoux en lui demandant de jouer pour lui ; il pressait les pédales. Fauré se proposa comme professeur après l'avoir entendue. Elle le mit au désespoir en se mariant à quinze ans avec Thadée Natanson, fils de l'éditeur, qui publiait *La Revue Blanche*. Il connaissait tout le monde. Debussy venait chez le jeune couple pour chanter, en s'accompagnant lui-même au piano (un piano droit), tous les rôles de *Pelléas et Mélisande*. Renoir fit huit portraits d'elle. Il parlait de la Commune quand elle posait et, parfois, s'arrêtant de peindre, suppliait Misia d'ouvrir son décolleté :

— Pourquoi ne laissez-vous pas voir vos seins ? C'est criminel.

En le racontant dans ses souvenirs, Misia soupirait :

« Je me suis souvent reproché après sa mort de ne pas lui avoir laissé voir tout ce qu'il voulait. Je l'ai surpris plusieurs fois sur le point de pleurer. Personne ne savait mieux que lui apprécier le grain d'une peau. »

Un des portraits de Misia par Renoir est exposé à l'Ermitage, à Leningrad, un autre à Philadelphie, avec la collection Barnes. À Paris, au musée d'Art moderne, on voit Misia peinte par Bonnard et par Vuillard. Quand il déjeunait chez elle, Toulouse-Lautrec la croquait sur son menu. Il l'appelait Hirondelle. Les menus ? On les jetait. Quelle pitié, quelle horreur, gémissaient ceux qui (ironisait Misia) « se moquaient de Lautrec, se tordaient de rire devant la peinture de Renoir et me demandaient dans quel sens il fallait accrocher les paysages de Bonnard ».

Mallarmé lisait ses poèmes à Misia quand elle habitait sa maison de campagne au bord de la Seine, à Valvins. Il arrivait en sabots. Elle l'interrompit un soir – en se plaignant d'une migraine. Il se leva et partit. Fâché ? Une heure après, il revenait avec de l'aspirine. Pour le Jour de l'An il envoyait du foie gras avec un quatrain, qu'elle égarait.

« On m'aurait prise pour un monstre si j'avais amassé ce que l'on me donnait. »

Sur un éventail, Mallarmé écrivit :

Aile que du papier déploie
Bat toute si t'initia
Naguère à l'orage et la joie
De son piano Misia.

Elle découvrit Van Gogh et proposa ses tableaux pour 200 francs à tous ses amis. Les mêmes se bouchaient les oreilles quand elle imposait Stravinski. Grieg lui joua *Peer Gynt* et elle versa un « torrent de larmes » en entendant la mort d'Aase. Ibsen lui offrit sa photographie encadrée et dédicacée. Tout le monde dînait chez Thadée Natanson, et tout le monde dînait aussi chez le second mari de Misia, le richissime Edwards, propriétaire du *Matin* et du Théâtre de Paris, un étonnant personnage qui enleva Misia à Thadée Natanson comme le roi David prit la belle Bethsabée à l'un de ses capitaines. Edwards n'expédia pas Thadée Natanson à la guerre, il lui donna une mine à exploiter et, profitant de son absence, il persuada Misia de l'aimer.

Qui d'autre que Misia eût osé faire taire Caruso ?

— Assez ! Je n'en peux plus !

Il lui donnait, chez elle, une indigestion de chansons napolitaines. Jamais, raconte-t-elle, elle n'avait vu un homme aussi stupéfait.

Paul Morand a fait de Misia un portrait éblouissant dans *Venise* :

«... récolteuse de génies, tous amoureux d'elle, Vuillard, Bonnard, Renoir, Stravinski, Picasso, collectionneuse de cœurs et d'arbres Ming en quartz rose ; lançant ses lubies, devenues des modes aussitôt reçues par tous les suiveurs, exploitée par les décorateurs, reprise par les journalistes, imitée par les femmes du monde à la tête vide. Misia, reine du baroque moderne ayant organisé sa vie dans le bizarre, dans la nacre, dans le burgau ; Misia boudeuse, artificieuse, réunissant des amis qui ne se connaissaient pas, pour les mieux pouvoir brouiller ensuite, affirmait Proust. Géniale dans la perfidie, raffinée dans la cruauté, Misia dont Philippe Berthelot disait qu'il ne fallait pas lui confier ce qu'on aime : "Voici le chat, cachez vos oiseaux", répétait-il quand elle sonnait à sa porte... »

Il faut évoquer la naissance dramatique de Misia. Sa mère, Sophie Godebska, vivait à Bruxelles en attendant le retour de son mari, qui décorait à Saint-Pétersbourg un palais de la princesse Troubetzkoï. Par un anonyme-qui-lui-voulait-du-bien, Sophie Godebska apprit qu'il filait le parfait amour avec une jeune tante à laquelle il avait eu le temps de faire un enfant; elle partit sur-le-champ. « Dieu sait par quel miracle elle arriva au terme de son voyage dans le glacial hiver russe, a raconté Misia. Elle gravit le perron d'une maison enfouie sous la neige et, au moment de sonner, s'appuya contre le chambranle pour reprendre souffle. Le bruit des rires qu'elle reconnut lui parvint à travers la porte. Sa main n'acheva pas le geste. »

Accablée soudain par le découragement, la pauvre Sophie se réfugia dans un petit hôtel. Elle écrivit à son frère, qui alerta son mari, lequel n'eut que le temps d'accourir pour recueillir son dernier souffle. Elle venait de donner le jour à Misia. « Le drame de ma naissance devait profondément affecter mon destin », écrivit-elle.

Elle fut élevée par une grand-mère fastueuse qui, aux environs de Bruxelles, dans une grande demeure, accueillait de nombreux artistes. C'est là que Misia joua du piano sur les genoux de Liszt. La reine de Belgique venait souvent. Misia, enfant, s'aventurant dans les cuisines et les caves, découvrait des moutons, des veaux, des porcs suspendus à des crocs, « effrayants stalactites sanglants attendant d'être dépecés pour le bénéfice de ma grand-mère et des ogres de son entourage ». On pense à Coco chez ses tantes, dégoûtée à jamais de manger par les cochons tranchés en deux sur une table de cuisine. Elle empruntait aux souvenirs de Misia pour reconstituer son enfance difficile et *fastueuse*.

Misia lui apporta bien autre chose; elle vécut ses années de Sorbonne avec elle et son troisième mari, José Maria Sert.

« Sans Misia, je serais morte idiote », me disait-elle.

Sert était un précurseur de Salvador Dalí par sa faconde et ses attitudes. Le talent ? Un colosse, sombre, barbu, toujours déguisé, drapé dans une cape, coiffé d'un sombrero qu'il prétendait garder sur la tête devant le roi d'Espagne. Devant Coco, il l'ôtait.

« Je peux entrer à cheval dans les églises d'Espagne », affirmait-il.

Pour surprendre Misia, quand il la rencontra, il expliqua comment on pouvait faire mourir une cigogne de faim devant une montagne de grenouilles : il suffisait de lui scier l'extrémité du bec, elle perdait dès lors la notion des distances. Il parlait le français avec un accent catalan comme Dalí. Il décrivit à Misia l'affolement de canards, qu'il avait déguisés en otaries, découvrant des otaries revêtues de plumes de canards par ses soins. Comment résister à un tel homme ? On ne lui sert que des animaux entiers, affirmait un gastronome impressionné par son appétit. Il n'offrait pas une boîte de chocolats, il en envoyait une brouette. Il peignait des fresques immenses. On ne pouvait rêver d'un meilleur guide de voyage, il savait tout sur les peintres.

« On se sentait intelligente quand on l'écoutait », disait Coco.

Misia, elle, lui apprenait Stravinski, Picasso. Époque prodigieuse que celle de l'après-guerre, quand la réussite de Coco, l'argent facilement gagné, faisaient d'elle un fantastique pôle d'attraction. Elle raconte :

« Je suis tombée sur les Ballets russes et tout ça, j'ai tellement aimé la musique, j'ai vécu dans un enchantement. J'ai adoré Wagner dès que j'ai entendu ses œuvres, j'étais faite pour recevoir ça. Maintenant, vous entendez ces gens qui vous expliquent leur bonheur… Quel petit bonheur, que de petits malheurs ! Moi, entre les Ballets russes et tant d'autres histoires… Ah ! j'en ai fait des choses ! Même un journal. Parfois, il me semble que je n'ai pas vécu. On ne m'en laissait pas le temps. Depuis la guerre, je vis davantage, je réfléchis beaucoup, je prends le temps de penser. Avant, j'étais trop pressée, j'avais toujours quelque chose à terminer ou à commencer.

J'essayais aussi d'oublier, c'est difficile; oublier quoi ? On ne sait pas au juste. Oublier peut-être qu'on vit. Trouvez-vous que je suis une personne agitée ? Il n'existe pas plus paresseux que moi ; je peux passer des journées sur ce canapé sans rien foutre. J'ai toujours été paresseuse comme il n'est pas permis, mais…

J'aimais beaucoup ces gens des Ballets russes, du moins certains; d'autres, moins. Pourquoi me suis-je mêlée de tout cela ? Pour m'attirer des ennuis. Et qu'en reste-t-il en fin de compte ? Pas même l'amitié de ces gens. J'ai demandé à Serge Lifar quels sentiments j'inspirais à Diaghilev. Il m'a répondu :

— Tu lui faisais peur.

Je pensais qu'il allait me dire : de la reconnaissance, beaucoup de reconnaissance et un peu d'affection. Et lui :

— Tu lui faisais peur.

Et c'était vrai, ça ressemblait à Diaghilev qui toute sa vie a vécu dans la peur, peur que le spectacle ne puisse être monté, peur qu'il ne puisse être montré. Toujours peur. Il n'aimait personne, il était impitoyable, incapable d'un sentiment pur et désintéressé pour quelqu'un. Si l'on connaissait la vie qu'il imposait à Serge [Lifar]… Parfois, Serge le hait, et il a raison. Il le faisait travailler et encore travailler, il l'envoyait dans les musées. Il le traitait souvent comme un chien.

Comment s'appelait le décorateur qui était toujours là ? Bakst, oui. Il me faisait rire. Un vieux perroquet. Ils étaient drôles, ces gens. Bakst me poursuivait pour faire mon portrait. Il n'avait aucun complexe. Il aimait manger, il aimait boire. Il faisait des décors merveilleux, tout me paraissait paradisiaque. Je suis tombée dans le bonheur quand j'ai vu *Shéhérazade* pour la première fois, c'était très beau et très bien dansé; ce qu'on fait maintenant comme ballets, ce n'est rien, et je suis sûre de ne pas me tromper. Le décor qui m'a le plus étonnée, c'est celui de Picasso pour une chose de Stravinski, pas *Parade*. Je n'ai pas très bien compris *Parade*, j'étais encore un peu éberluée par ça, c'était trop nouveau, ça m'effrayait. Je me demandais : Est-ce que c'est beau ? Le *Tricorne* ? C'est venu après. J'ai été entraînée par une passion pour Picasso. Il était méchant, dans ce temps-là. Il me fascinait : il vous regardait comme un épervier qui va fondre sur sa proie. Il me faisait peur. Quand il entrait dans la salle, même si je ne le voyais pas encore, je sentais qu'il était là, et qu'il me regardait. Il se moquait de moi, vraiment il était très méchant, d'ailleurs ils étaient tous méchants entre eux, ils ne se passaient jamais de pommade. Je ne les entendais jamais parler d'argent. Ça parlait art, ça parlait métier et c'était passionnant, pas du tout comme maintenant.

Je n'ai pas fréquenté que des gens riches ; ils sont parfois très ordinaires. J'aime mieux manger avec un clochard amusant qu'avec des gens riches qui parlent d'argent du matin au soir. Quel ennui !

Il y a des riches agréables et, bien entendu, je les préfère alors aux autres parce que je n'ai pas de soucis à me faire pour eux. Les gens riches et les gens qui ont de l'argent ne sont pas les mêmes. Les gens qui ont de l'argent le dépensent ; ce fut mon cas, pendant des années. L'argent pour moi n'a jamais été autre chose que la liberté, une grande liberté. L'argent permet de faire monter des œuvres qu'on aime. J'ai beaucoup aimé les Ballets russes. Je ne demandais qu'une chose : qu'on ne sache pas que je donnais de l'argent.

Diaghilev voulait monter *Le Sacre du printemps*. Je n'ai pas connu les Ballets russes à leurs débuts, seulement après la guerre. J'ai demandé à Diaghilev :

— Qu'est-ce que ça coûterait ?

Il disait qu'il ne pourrait pas monter *Le Sacre* parce que ça reviendrait trop cher.

— Qu'est-ce que vous appelez trop cher ?

Il a indiqué une somme, sûrement très élevée. Je lui ai dit :

— Je vais vous signer un chèque mais à une condition, que personne ne le sache.

Ça les arrangeait, ils étaient trop contents de ne rien dire. Je vous l'ai dit : j'ai demandé dernièrement à Serge Lifar quels étaient les sentiments de Diaghilev pour moi, qui l'ai tiré cinquante fois d'affaires.

— Qu'est-ce que tu veux savoir ? a demandé Serge.

— Avait-il de l'amitié pour moi ? Une certaine affection ?

— Pas du tout. Il avait peur de toi.

— Peur de quoi ?

— Quand tu venais, nous étions tous mobilisés. Il ne fallait pas parler de ceci ou de cela. Il fallait faire très attention dès que tu arrivais.

Je m'en rendais bien compte ; je me sentais mal à l'aise parce que tout le monde se mettait au garde-à-vous. On m'observait. J'étais contente de les voir tous, heureuse parce qu'une grande œuvre se préparait. J'en rêvais. Et de les voir comme ça… J'étais intimidée. Je n'osais pas les regarder. Ils me faisaient peur, à moi aussi.

— Diaghilev n'a jamais rencontré une personne comme toi, m'a dit Serge. Il ne comprenait pas pourquoi tu donnais ton argent. Il mourait de frayeur. Nous mourions tous de frayeur quand nous allions chez toi. Il fallait se tenir tranquille, être bien propre, bien habillé et pas d'excentricités.

C'est donc le seul sentiment que j'ai inspiré à ce Russe. Ça vous rabat le caquet de l'apprendre. On croit avoir fait quelque chose de très bien et pas du tout, pas du tout…

Je me suis intéressée aux Ballets russes parce que j'avais une amie, Mme Sert, qui m'en parlait beaucoup :

— Tu ne peux pas savoir ce que c'est. Quand tu auras vu…

Elle me parlait aussi de Stravinski, qui était en Suisse. Misia me répétait que là-bas il n'avait pas de quoi nourrir sa famille ; ça me semblait affreux. Je disais à Misia :

— Si on peut faire parvenir un peu d'argent à cet homme, je ne demande pas mieux que de vous le donner, pour lui. C'est terrible de penser qu'il est là-bas avec ses enfants…

Plus tard, il s'est installé chez moi avec sa femme et ses enfants pendant plus d'un an[1].

Je lui ai dit :

— Cher Igor, je vous ai envoyé de l'argent en Suisse par l'entremise de Misia qui m'a raconté tant de belles choses sur vous et vos œuvres, en me disant que vous étiez dans la misère.

Je me suis prise d'une passion musicale pour Stravinski. Lui s'est pris de passion amoureuse pour moi et ça a fait un drame épouvantable. Je lui ai dit que je ne l'aimais pas du tout, et qu'il n'était pas question de quelque chose de différent de ce qui existait entre nous. Il était très gentil, je l'aimais bien. C'était agréable de tout apprendre avec des gens comme ça. Pendant dix ans, j'ai vécu avec ces gens.

Je me trouvais chez Misia, à l'Hôtel Meurice, quand Diaghilev est arrivé de Londres. Il ne me voyait pas. J'étais assise dans un petit coin, très modeste. J'avais compris que c'était ce Diaghilev dont Misia me parlait si souvent. Elle était charmante, elle m'amusait beaucoup. Je comprenais que Diaghilev vivait un grand drame.

— Qu'est-ce que tu vas faire ? demandait Misia.

Il s'était enfui de Londres. Il ne pouvait pas payer. Il arrivait à Paris comme un fou sans savoir quoi faire.

---

1. Dans une maison à Garches où elle avait Henry Bernstein, l'auteur dramatique, comme voisin.

La chance a voulu que Misia sorte un moment pour téléphoner dans la pièce voisine. Moi, si timide, je me suis précipitée vers Diaghilev :

— Monsieur, j'habite l'Hôtel Ritz, venez me voir. Ne le dites pas à Misia. Je rentre chez moi. Venez dès que vous sortirez d'ici.

Il est arrivé tout de suite. Où avais-je trouvé le courage de lui demander de venir ? Il fallait aller jusqu'au bout. Je lui ai dit :

— Je vous ai entendu. Misia n'a pas d'argent, elle ne peut pas vous en donner. Combien vous faut-il pour liquider la situation à Londres et pour venir à Paris ?

Il m'a indiqué la somme, que j'ai complètement oubliée[1]. Je lui ai donné un chèque dans la minute. Je crois qu'il n'a pas cru que le chèque était vrai. Je lui ai dit :

— Que Misia ne le sache jamais !

J'étais déjà suffisamment évoluée pour deviner qu'elle serait jalouse. Je tenais éperdument à elle et je ne voulais pas lui faire de peine.

— D'ailleurs, je voudrais que personne ne le sache.

Il a dû aller à la banque en tremblant. Jamais il ne m'a écrit. Jamais il ne s'est compromis par un mot. Je lui ai donné beaucoup d'argent, pour *Le Sacre*, pour monter *Noces*, toutes les choses de Stravinski. »

Misia était la grande amie de Diaghilev, qu'elle appelait Diag. Elle avait une lettre de lui : « Je t'aime avec tes nombreux défauts, avait-il écrit, j'éprouve pour toi les sentiments que je pourrais avoir pour une sœur. Malheureusement je n'en ai pas, aussi tout cet amour s'est-il cristallisé sur toi. Rappelle-toi que nous sommes tombés d'accord il n'y a pas longtemps sur

---

1. D'un montant qui dépassait les espérances de Diaghilev, a écrit Boris Kochno dans son livre *Diaghilev et les Ballets russes* : 200 000 francs-or.

le fait que tu es la seule femme que je puisse aimer. » Coco tentait-elle un détournement d'amitié ou d'affection ? Elle racontait souvent l'histoire du chèque, traduisant ainsi l'émotion qu'elle avait ressentie en le donnant à Diaghilev en cachette de Misia. Elle serait jalouse ? L'argent pour Stravinski, elle le donnait par l'entremise de Misia. On peut relever qu'en l'évoquant elle parlait de *Madame* Sert, et elle lui disait *vous* ; le souvenir semblait se rapporter au début de leur amitié. Or, lorsque Diaghilev est intervenu, elles se connaissaient bien. Sans doute avaient-elles fait ensemble le voyage en Italie.

« Misia ne peut rien vous donner, elle n'a pas d'argent. »

N'est-ce pas extraordinaire ? Coco approchait de la quarantaine. Elle prenait son destin en main, elle devenait Mademoiselle Chanel. Tant pis s'il fallait pour cela piétiner Misia. Depuis qu'elle gagnait de l'argent, elle *payait* pour ses amis, comme un homme l'aurait fait. Le chèque, c'est autre chose. Elle se décrit à l'Hôtel Meurice, assise modestement dans un coin, Diaghilev ne lui accorde pas la moindre attention, elle parle de sa timidité, elle profite d'une sortie de Misia pour porter son coup :

« Moi j'ai de l'argent, moi je peux vous aider. »

Elle *parle* ! L'argent lui confère la parole. Par l'argent, elle peut faire plus que les gens qui l'épatent, qui connaissent tout et tout le monde alors qu'elle termine seulement son apprentissage grâce à eux. C'était évidemment un grand moment de sa vie, qu'elle reprenait souvent pour le revivre, non sans amertume. J'ai fait ça et qui m'en a su gré ? Elle allait être beaucoup sollicitée, notamment par Cocteau. Elle fit des costumes pour une de ses pièces ; on devinait, quand elle en parlait, qu'elle avait participé au financement de la réalisation.

Comment défendre son argent ? On trouve chez tous les gens qui en ont beaucoup la même inquiétude. Coco disait :

« Je suis très prudente, j'ai appris à l'être parce que j'ai vu trop de choses. Et puis je suis toute seule pour me défendre. On prend des engagements en mon nom. Pour un projet de cinéma j'avais dit, pour ne pas me montrer décourageante, qu'on verrait plus tard mais que pour le moment c'était non. On voudrait me faire croire que je suis engagée parce qu'on a organisé quelques déjeuners. C'étaient des guets-apens. Je me suis installée à table avec un monsieur qui m'a dit :

— Mademoiselle Chanel, nous avons un très bon scénario et des acteurs qui font une affiche comme ça.

J'ai dit :

— Je me fous de tout ça, monsieur. Je déteste la célébrité, je n'en ai pas besoin. Je n'ai pas non plus besoin d'argent et je déteste en parler. Allez voir mon avocat.

On m'embarquait une fois de plus dans une histoire abominable. Voilà pourquoi je suis sur la défensive. »

Sur la défensive, elle l'était depuis longtemps et le comportement de Diaghilev n'était naturellement pas fait, à l'époque, pour l'encourager dans le mécénat.

« La vie est d'une méchanceté, d'une dureté, disait-elle. Ces gens que l'on dit intelligents, je les trouve d'une bêtise, d'une frivolité. Nous étions jeunes, nous n'étions pas frivoles. La frivolité de cette époque me tue. »

Elle soupirait :

« J'ai gagné des fortunes et je les ai dépensées. »

Il en restait ! Elle gardait la nostalgie de l'après-Grande Guerre.

« J'ai eu de la chance, tout était prêt. »

Vingt ans plus tôt, on l'aurait brûlée. Et vingt ans après… En 1919, l'affolement du libre plaisir ne corrompait que les riches, très minoritaires. Cocteau fumait l'opium.

En signant le chèque pour Diaghilev, Coco devenait Mademoiselle Chanel. Selon Kochno, cela se serait passé à Venise ; c'est un détail. Il faut retenir que Coco sortait définitivement de sa chrysalide.

Diaghilev agonisait à Venise, à la fin de l'été 1929, lorsque le *Flying Cloud*, le voilier du duc de Westminster, sortit du port, avec Coco Chanel à bord. Diaghilev avait envoyé un S.O.S. à Misia : « Viens ! »

Elle accourut aussitôt et trouva Lifar et Kochno au chevet du maître. La chaleur suffocante n'empêchait pas Diag de grelotter. On lui avait passé une veste de smoking pour le réchauffer. Il reconnut Misia :

« Promets-moi de toujours t'habiller en blanc, c'est en blanc que je te préférais. »

Il parlait de lui au passé. Elle lui acheta un sweater, qu'on ne parvint que difficilement à lui enfiler, il était trop faible pour lever les bras. Misia fit venir un prêtre à trois heures du matin, qui lui donna une « courte absolution » parce qu'il était orthodoxe. Il s'éteignit à l'aube alors que le soleil levant touchait son front. Il se produisit alors, dans cette petite chambre d'hôtel (raconte Misia), un phénomène dostoïevskien, l'explosion d'une formidable haine accumulée par Lifar contre Kochno, et par Kochno contre Lifar. Ils se jetèrent l'un sur l'autre et roulèrent par terre en se mordant comme des bêtes. Misia disposa de son dernier argent pour l'enterrement ; ce n'était pas suffisant. Elle s'apprêtait à engager une chaîne de diamants qu'elle portait au cou quand elle aperçut Coco qui, avertie par un pressentiment, avait prié le duc de Westminster de la ramener à Venise. Coco arriva encore à point nommé pour sauver le dernier spectacle de Diaghilev. Elle intervint avec moins de timidité que la première fois. Pour extérioriser leur désespoir, Kochno et Lifar prétendaient suivre le cercueil à genoux.

« Debout ! » dit Coco.

J'ai demandé à Boris Kochno si Diaghilev avait vraiment peur de Coco.

— Peur ? Non, il l'aimait trop.

— Pourtant Coco en était convaincue.

Alors, cette explication de Kochno :

— Diaghilev était russe. Il croyait au geste gratuit, cela lui semblait naturel.

Silence. J'ai insisté :

— Coco était auvergnate, malgré tout ?

— Malgré tout, dit Kochno.

Lorsque Misia mourut, à quatre-vingt-cinq ans, Coco se fit conduire chez elle au milieu de la nuit. Elle fit sa toilette, elle la maquilla, elle l'habilla tout en blanc. Elle n'accepta pour les obsèques que des fleurs blanches. Rajeunie par la mort, affirmait Coco, elle était aussi belle que lorsqu'elle posait pour les peintres qui l'avaient aimée.

Tout est au duc, madame, tout est au duc… Mais la Maison Chanel comptait davantage

Coco avait plus de quarante ans et le duc de Westminster pas loin de quarante-cinq quand une amie anglaise, Vera Bate, les présenta l'un à l'autre à l'Hôtel de Paris, à Monte-Carlo. Coco sortait d'une période russe. Elle avait à sa table le grand-duc Dimitri et une beauté blonde, chassée par la révolution rouge, devenue Lady Abdy, et curieusement prénommée Ia. Elle travaillait pour Chanel. La découvreuse de talents Misia l'avait remarquée dans une boutique tenue par des émigrés russes. Ia peignait des éventails, arrangeait des sacs. Non seulement Coco avait acheté tout ce qu'elle faisait, mais elle l'avait engagée sur-le-champ.

« Elle vous tutoyait tout de suite, dit Lady Abdy. Elle aurait fait n'importe quoi pour sa maison. Elle avait parfois de drôles de procédés. »

— Tiens tiens, murmura Lady Abdy en voyant Coco se lever pour danser avec Westminster.

Un étonnant couple. Coco aurait pu être la mère de Juliette, lui, le père de Roméo. Westminster ne manquait pas d'allure, évidemment : corpulent, un physique sympathique, une grande présence, avec un appétit agressif pour le meilleur, pour le plus beau. À qui comparer cette Coco-vamp vers laquelle tous les regards se portaient ? Existe-t-il encore l'équivalent ? Tout est plus *dispersé*. À l'époque (1924-1925), les vedettes *cosmiques* étaient moins nombreuses mais duraient plus longtemps. Pour le duc, très coureur, Coco constituait un *challenge*, un défi, une conquête vraiment exceptionnelle. Lady Abdy le trouvait *assez voyou*, ajoutant immédiatement que Coco aimait ça.

On ne peut qu'être frappé par la justesse des observations de cette belle personne blonde, qui allait se montrer en scène dans une pièce de Cocteau *soutenue* par Coco.

« Avec le duc, dit-elle, Coco se comportait comme une petite fille. Elle vivait un conte de fées. »

Il semblerait pourtant qu'elle ait résisté un certain temps aux avances du prince charmant. Pour mieux le prendre dans ses filets ?

« Leur passion n'était pas sensuelle », estimait Lady Abdy.

Une passion… Une passion… Coco avait son sexe dans la tête, m'a confié un amant nettement plus jeune qu'elle, de la seconde partie de sa vie. Il faut reprendre cette pensée que Coco m'avait lue :

La plus grande flatterie d'un être à l'autre, c'est la volupté parce que la raison n'y a pas de part, qu'il ne peut être question de mérite et que cela s'adresse non pas à la qualité de l'être mais à l'être lui-même.

Traduction brutale : en amour, le plaisir est plus important que le partenaire. Il est peu probable qu'elle ait attendu du duc la satisfaction physique ravageuse qui inspirait sa *pensée*. D'un jeune homme peut-être ? Une *passion* essentiellement charnelle pour un gamin l'eût embarrassée, elle l'aurait dominée, maîtrisée. À son âge, à l'âge du duc, on ne vivait plus de romans russes, Anna Karénine et Wronski, les esprits n'étaient pas préparés aux grandes flambées tardives. Coco ne s'y attendait pas.

« Ma vraie vie a commencé avec Westminster, disait-elle. Enfin, j'avais trouvé une épaule contre laquelle me reposer, un arbre contre lequel je pouvais m'appuyer. Je n'avais plus rien à craindre. Il ne pouvait plus rien m'arriver de grave. Toute ma vie, jusque-là, on m'avait poursuivie. J'aurais voulu être tranquille. Il me fallait mener vingt-cinq existences de front. J'en sortais rompue. »

On peut sourire : que craignait cette femme portée par une réussite foudroyante ? On s'arrachait ses robes, d'un coup de baguette elle imposait ses nouveautés, la vente de ses parfums battait des records d'une année à l'autre. Une épaule. Un arbre ! Il s'agissait, en fait, de l'homme le plus riche d'Angleterre. Il possédait une grande partie de Londres, notamment le quartier qui porte son nom. Boursier de la Chambre de Commerce de Paris, je logeais à l'époque dans une mansarde qui lui appartenait. Je payais 25 shillings par semaine, pension comprise. Un shilling allait au duc, pour payer ses jardiniers, cinq cents disait Coco, exaltée. On cultivait des roses, des œillets, des orchidées dans ses serres. On mangeait des pêches à Noël. Pas moi, disait Coco, je n'aime pas les fruits, je ne me détraquerai pas l'estomac avec des fruits. Pas de fraises non plus ?

« Dans une serre, on me montrait des fraises, il y en avait jusque là-bas… »

Le duc ne lui offrait pas d'orchidées ; quand il se promenait avec Coco à travers prés il cueillait pour elle les premières *daffodils*. C'était ce qui restait dans la mémoire de Mademoiselle Chanel.

« Si je n'avais pas rencontré Westminster, je serais devenue folle. J'avais trop d'émotions, trop d'histoires. Je vivais mes romans, mais très mal, avec trop d'intensité, prise entre celui-ci et celui-là, avec ma Maison sur les bras. Je suis partie pour l'Angleterre dans un évanouissement. Avec Westminster, il n'y avait rien à faire. Ma vie a commencé parce que je me suis calmée. »

Westminster l'avait *sauvée* de Balsan et de Boy. Le chemin parcouru pouvait donner le vertige. Le petite fille du colporteur Chanel demandée en mariage par l'héritier d'une famille dont l'histoire se confondait avec celle de l'Angleterre. Un descendant du Conquérant ! La reine Victoria avait été la marraine de son père. Coco l'appelait Bonnie.

« En Angleterre, je menais une vie de grand air. J'ai passé treize ans avec un homme qui vivait à la campagne. »

Treize ans ? Leur liaison ne dura pas plus de six à sept ans.

« Je montais beaucoup à cheval. En hiver on chassait à courre trois fois par semaine, le sanglier et le renard. Je préférais le sanglier. On se fatiguait, une fatigue très saine. On jouait au tennis et au golf. Moi je n'ai jamais fait les choses à moitié. J'ai appris à pêcher le saumon. Pendant un an, j'ai regardé. Je trouvais ça très ennuyeux, rester des journées à lancer des mouches pour attraper un poisson, ça n'est vraiment pas pour moi ; et je m'y suis mise, j'ai pêché de l'aube jusqu'à onze heures du soir et j'ai adoré ça. J'étais favorisée, je pêchais dans les meilleures rivières. Je suis même allée en Norvège, mais là-haut on ne m'a pas permis de pêcher, les saumons sont trop méchants, ils vous couperaient un doigt avec une facilité…

Un monsieur m'a demandé un jour au Ritz si j'étais parente d'une Mademoiselle Chanel qui pêchait le saumon en Écosse.

— Vous êtes allé à Lochmore, monsieur ? Chez le duc de Westminster, ou plutôt chez ses héritiers ?

— J'ai vu sur le Log Book qu'une Mademoiselle Chanel avait fait des choses extraordinaires.

— C'est bien moi, monsieur.

— Vous plaisantez, mademoiselle ?

[Elle imitait les mimiques du monsieur, un Écossais.]

— Vous me croirez si vous voulez, mais je vous assure qu'il s'agissait de moi.

— Vous preniez vraiment tous ces saumons ?

— Je ne faisais que cela, monsieur, et vous avez dû voir que je pêchais aux meilleurs endroits.

Je détestais pêcher sur le lac. Je me suis fait une bonne santé en Angleterre. Je faisais beaucoup de sport. Là-bas, on n'attend pas de vous que vous soyez champion en tout. La dernière fois que j'ai voulu jouer au golf, ici, un jeune homme m'a dit :

— Quel est votre score ?

— Mon ami, puisque vous voulez tout savoir, apprenez que cela fait plus de dix ans que je n'ai pas tenu un club entre les mains. Mon score, je l'ignore. Avec votre permission je vais emprunter des clubs parce que je n'en ai plus. On m'en prêtera, je pense, parce qu'on m'a vue jouer. Si ça marche, je rachèterai tout ce fourniment. »

Que raconteraient aujourd'hui *France-Dimanche* et *Ici Paris* sur la romance entre le duc et Coco ? Il n'est pas difficile d'imaginer les grands titres, les affichettes autour des kiosques. Le bonheur de Coco. Le duc victime de la raison d'État. L'archevêque de Canterbury intraitable. La grand-mère de Coco gardait des chèvres, etc. Sans avoir cette ampleur, les potins d'époque ne manquaient pas de résonance. Quand la presse anglaise parla d'un remariage possible du duc avec une grande couturière de Paris, Coco s'inquiéta forcément de ce que les journaux pourraient révéler son passé. Que savait le duc ?

On ne peut ignorer que le duc de Westminster refusait de confier à la poste les lettres qu'il adressait à Mademoiselle Chanel. Plusieurs *gentlemen-messagers* assuraient les liaisons. Quand ils portaient à Coco un saumon pêché par le duc en Écosse, ils prenaient l'avion ; c'était les risques du métier.

Pour donner une idée de la fortune du duc, Coco, un peu naïvement, racontait qu'en plein été, par les plus grandes chaleurs, on entretenait du feu dans toutes les cheminées de ses demeures parce qu'un Westminster se devait de brûler du charbon pour faire vivre les mineurs anglais. J'avais assisté (Coco avait son palais à Londres) à une formidable démonstration des marcheurs de la faim (*hunger marchers*) venus de toutes les mines modernisées pour réclamer une augmentation du *dole* (une allocation-chômage misérable). Coco ne s'en souvenait pas. Elle attendait des travailleurs (le mot n'avait pas été politisé encore) un dévouement total à l'entreprise, qu'il s'agisse d'une mine ou d'une maison de couture. Qui donnait du travail à 4000 ouvrières ? Qui brûlait inutilement du charbon par devoir ? Elle. Le duc. Les bons riches, dont les droits inaliénables ne pouvaient être contestés. Si elle avait beaucoup souffert de la pauvreté, c'était oublié ; l'idée ne lui venait jamais d'utiliser les souvenirs difficiles pour comprendre les *unhappy all*. En se promenant dans les environs de Deauville, elle avait vu un camping populaire.

« Il paraît qu'ils font leurs besoins dans des tranchées. Quand il pleut, tout ça doit remonter, c'est ignoble. »

L'orphelinat. L'institution religieuse de Moulins. Les beuglants pour militaires. Et bien d'autres souvenirs. Effacés. Elle refusait ce passé déplaisant, *sale*. Elle avait Eaton Place, les autres palais du duc de Westminster qui, à peu près partout où il se rendait dans le monde et d'abord en France, trouvait une demeure somptueuse, avec une armée de domestiques pour le recevoir. Par sa fortune fabuleuse, le duc rejoignait l'innocence évangélique des pauvres ; il oubliait qu'il était riche, ça ne comptait plus pour lui, soupirait Coco, extasiée. Rien ne lui paraissait plus normal que les privilèges de la naissance. Elle estimait que, sauf exceptions, les pauvres ne naissaient pas pour devenir riches mais pour se satisfaire de leur état par le travail et par l'honnêteté. N'avaient-ils pas, de surcroît, l'espérance d'un monde meilleur ? Aussi longtemps qu'elle suivit la messe après sa réussite, ce fut pour l'exemple, comme une princesse.

Pourquoi sa longue liaison avec Westminster ne s'est-elle pas terminée par un mariage ? Le duc ne demandait pas mieux, du moins le disait-on.

« Il n'était pas libre, expliquait Coco. Son divorce a pris trois ans. Personne n'allait me faire épouser un homme avec lequel je vivais depuis trois ans. »

C'était déjà le cas pour Boy. Elle ajoutait :

« Je n'étais pas libre non plus. Je ne voulais pas quitter la Maison Chanel, que j'ai faite, seule, qui est à moi, que j'ai refaite sans cesse. Ils n'ont pas compris ça, ni les uns ni les autres. »

Ni Westminster, ni Boy. On a raconté qu'elle refusa le duc pour ne pas devenir la troisième ou la quatrième duchesse de Westminster alors qu'elle était la seule, l'unique Mademoiselle Chanel.

« Le duc aurait bien ri si j'avais sorti une bourde pareille », me dit-elle.

L'histoire n'en fait pas moins partie de la légende Chanel, ainsi que le grand dîner qu'elle présida le soir de la réception donnée par le duc et la duchesse de Westminster pour l'entrée dans le monde de leur seconde fille. Le duc avait perdu son seul garçon à la suite d'une opération trop tardive. Coco avait été personnellement invitée par la duchesse qui, bien que divorcée, conservait son titre parce qu'elle était la mère des enfants du duc. On prévoyait que son apparition ferait sensation. Après son dîner avec Westminster, Coco le pressa de rejoindre son ex-épouse pour recevoir leurs invités. Elle ne tarderait pas à les retrouver. Elle se déshabilla et se mit au lit. Une dérobade devant l'obstacle ? De la timidité ? Des membres de la famille royale assistaient au premier bal de l'héritière Westminster. On attendait Coco. C'était une soirée décisive, d'une certaine façon : sa présentation à la Royauté, dont elle deviendrait éventuellement une cellule (des plus brillantes) en épousant le duc. Non, je reste chez moi. Je me fiche de tout ça.

Coco Chanel, fille et petite-fille de marchands forains, serait-elle devenue la duchesse de Westminster si elle avait pu donner un fils à Bonnie ? Elle y pensa certainement, elle consulta, elle s'imposait des exercices *humiliants* (elle le disait), elle restait par exemple longtemps les jambes en l'air, racontait Lady Abdy. C'était bien tard, même si Coco, avec son énergie habituelle, ne négligeait rien pour imposer sa volonté à son corps. Quarante ans… Rappelons-nous la faiseuse d'anges de Moulins ; un avortement misérable avec des conséquences navrantes. On peut penser qu'elle aurait voulu un enfant de Boy. Elle se serait mariée avec lui s'ils avaient eu un petit garçon ou une petite fille, disait Dorziat.

J'étais frappé par les sorties fielleuses de Coco contre la maternité. Parlant d'un ami commun dont la femme avait exigé qu'il assiste à son accouchement, elle disait :

« Depuis qu'il l'a vue dans cet état ignoble, il ne la touche plus. »

Une panique dans les yeux. Elle se souvenait d'une chatte qui avait eu ses petits en sa présence :

« On croyait que c'était fini, il y en avait encore qui miaulaient à l'intérieur. »

Sa bouche se tordait de dégoût.

« Et les chiennes qui avalent tout ça… Même un poulain, c'est affreux, c'est gluant. »

N'était-ce pas un désespoir qu'elle traduisait, malgré elle ? Elle avait eu tout, mais pas ça ! Devenir la duchesse de Westminster… Elle parlait de Bonnie en prenant des distances. Jamais un frisson de passion, comme pour Capel. Il était riche, très riche, et voilà. Gentil. Il cueillait des primevères pour elle. À quoi s'intéressait-il ? Aux chevaux. Il ne lisait pas la *Bhagavad Gîta*, il ne lisait probablement rien. Il donnait à ressemeler des chaussures complètement usées. On repassait chaque matin ses lacets. C'était le genre de potins qu'on lisait dans la presse anglaise.

Mais devenir la mère d'un duc de Westminster, une femme comme les autres pour être plus exceptionnelle encore. Il serait normal qu'elle ait nourri ce rêve et qu'une déception se soit déposée dans le fond de son cœur, comme une lie.

Encore que… Que pensait-elle des enfants ? Comment réagissait-elle devant un enfant ? Son neveu Pallasse avait épousé la belle-sœur du metteur en scène Bresson, qui avait deux filles que Coco appelait ses nièces. Toutes deux étaient mariées avec des peintres. L'une, Tiny Labrunie, avait deux enfants :

« Je lui ai dit, ma petite, les enfants tu me les montreras quand ils seront propres, quand ils pourront marcher. Car moi, les bébés, les tétées, les baves… Mais j'ai fait quelque chose pour cette nièce. Elle connaît bien la peinture. Je lui ai offert un voyage en Italie avec son mari. Ils ont tout vu en un mois. Tiny m'écrivait des lettres tout comme si je ne connaissais pas l'Italie, c'était touchant. Les lettres me rappelaient ma jeunesse, quand je me promenais avec les Sert [elle avait environ quarante ans à l'époque]. Un jour j'ai téléphoné à ma nièce pour lui dire que je venais déjeuner. C'était l'affolement, la pauvre ne respirait plus, est-ce que le poulet sera bon, est-ce que le vin… Son mari l'a calmée : assieds-toi et reste tranquille, Coco mangera ce que nous servirons et boira le vin que je mettrai sur la table. Il avait raison. Après le déjeuner, j'ai demandé si je pouvais voir les enfants, puisque j'étais là. La gouvernante allait justement les promener. Ils sont entrés, trois et deux ans, le crâne rasé, des pantalons américains, pas de chichis du tout, ça m'a fait plaisir. Ils habitent l'île Saint-Louis. Quand ils traversent un pont ils sont perdus. »

En vérité, on ne voit pas Coco en mère de famille, pas même en mère d'un petit duc élevé par des gouvernantes.

« J'ai connu un luxe que personne ne connaîtra plus. »

Elle se raccrochait à cela, c'était même une façon pour elle d'exprimer de l'amour pour Westminster en justifiant leur liaison. S'il n'avait pas été l'homme le plus riche d'Angleterre, par quoi eût-il attiré (et retenu) l'attention de Mademoiselle Chanel, qui possédait alors le pouvoir absolument faramineux d'habiller le Tout-Paris en noir, quasiment du jour au lendemain ? Elle le racontait en riant :

« Je suis allée à un bal à l'Opéra, avec le gentil Flamant, un collaborateur de Léon Bailby, le patron de *L'Intransigeant*. C'était le début du Bal des Petits Lits Blancs.

— Ça vous ferait plaisir que je vienne ?

— Grand plaisir, a dit Flamant.

— Bien, passez donc me chercher.

À l'Opéra, c'était d'une laideur ! Je regardais ça de ma loge ; j'ai dit à Flamant en riant :

— C'est trop laid, il faut habiller tout ce monde en noir.

Je l'ai fait et ça a donné des romans. N'est-ce pas comique ? Une dame Maxwell a écrit dans un journal de New York un article délirant, d'un mauvais goût effroyable, pour expliquer que je faisais porter le deuil à toutes les femmes parce que je ne pouvais pas porter moi-même celui de l'homme que j'aimais. Pensez donc ! Je n'étais pas mariée avec lui ! Un dessin grotesque illustrait l'article, une femme en robe de mousseline noire ployée sur une tombe. J'ai reçu des milliers de lettres d'Américains qui proposaient de me consoler. J'en étais malade de rire. Des femmes aussi m'écrivaient :

— Vos yeux ne sont pas faits pour pleurer.

Avant moi, personne n'aurait osé s'habiller en noir. Pendant quatre ou cinq ans, je n'ai fait que du noir, un petit col blanc en plus, je vendais ça comme du pain, j'ai fait des fortunes. Tout le monde portait une petite robe noire avec un truc, les actrices de cinéma, les femmes de chambre. Il fallait cesser ; j'y suis allée doucement. J'aime beaucoup les teintes neutres. Je crée maintenant mes tissus nouveaux, avec des mélanges de couleurs. J'avais des usines ; heureusement, je ne les ai plus. Il me reste quelques métiers, avec une fille qui travaille ; pour le moment elle pleure parce qu'elle n'a rien à faire.

La rue devient moins triste. Le climat change. J'étudie ça. Je fais des coloris ravissants. Il faut que la rue soit gaie, qu'on ose sortir en rouge cet hiver, ou en vert, pourquoi pas si ça vous plaît ? En bleu ciel, en rose. Une femme habillée de clair est rarement de mauvaise humeur. »

Le duc lui prenait trop de temps, finalement. Que devenait la Maison Chanel en son absence ? Elle visita Gibraltar avec lui :

« On nous a montré tout ce qu'il y a dans le rocher, je ne me sentais pas à ma place, une Française qui voyait tout ça ! »

On avançait en barque sur des bassins d'eau potable. Ensuite, affirmait-elle, on naviguait sur des canaux de pétrole.

« Naturellement, on vous enlève tout ce qui pourrait produire une étincelle. »

Elle fabriquait son feuilleton, désormais, avec ses aventures. Le *Cutty Sark*, le yacht du duc, croisa en haute mer un destroyer de la Marine française. Les équipages s'alignèrent sur les ponts, pour échanger un salut.

« Je me suis allongée dans un coin d'où je voyais tout, mais je ne voulais pas que l'on me voie sur un bateau anglais. »

Elle préférait le voilier du duc, le *Flying Cloud*. Elle seule avait droit à bord à des bains d'eau douce ; l'eau de mer irritait sa peau. Il lui arrivait de montrer de la jalousie. Durant une croisière, elle exigea et obtint qu'une fort jolie personne, peintre connu, fût débarquée à la première escale ; cela se fit à Villefranche. Le duc poussa jusqu'à Nice pour acheter une émeraude, qu'il offrit à Coco afin de se faire pardonner. Elle la laissa tomber dans la mer, Cléopâtre dissolvant les perles de César dans du vinaigre.

Aux croisières, Coco préférait les longues escales à la Pausa, une propriété *royale* qu'elle avait achetée au-dessus de Roquebrune avec une vue fantastique. La Côte était encore très anglaise, les plus grandes propriétés, les plus belles, appartenaient à la super *gentry* britannique. Quand Westminster venait à la Pausa, il était le voisin de son ami Churchill. Coco confirmait la vogue des vacances au grand soleil d'été, lancée par les peintres. Elle faisait sensation avec ses pyjamas blancs, *inventés* à Venise, avec des turbans assortis. À Juan-les-Pins, un portier lui refusa l'entrée du casino alors qu'elle rejoignait le duc, un grand joueur, distrait, indifférent aux gains et aux pertes. Il lui arrivait d'oublier une mise sur le tapis et de la retrouver doublée. Il fourrait billets et jetons dans ses poches et, quand elles étaient pleines, distribuait ce qui restait. Ce sont des choses que même les émirs du pétrole ne font plus.

Une grande liberté régnait à la Pausa, le climat Chanel, pourrait-on dire. En remontant de la mer après le bain, on trouvait un buffet dressé sur la terrasse avec du froid d'un côté – jambon, rosbif, poissons en gelée –, et du chaud de l'autre, sur des réchauds d'argent : de la daube, du cassoulet, du rizzoto, des spécialités régionales. Pas de protocole. Parmi les habitués, outre le duc et ses amis anglais, des peintres, comme Salvador Dalí, des écrivains, comme Cocteau, des musiciens, comme Auric, des comédiens comme Marcel Herrand, la duchesse d'Ayen, les Beaumont, le prince Koutousov, Serge Lifar, Boris Kochno. Une cour brillante, dont Coco était la reine-soleil. Est-ce qu'elle pensait au chemin parcouru quand elle somnolait dans sa chambre, sur un immense lit espagnol aux montants duquel elle accrochait des amulettes ? Pour la fécondité, peut-être ? En plus des amulettes, des fleurs artificielles mêlées à des fleurs naturelles (comme les dosages de vrais et faux bijoux). La plupart des meubles étaient espagnols. La fenêtre donnait sur des cyprès et des oliviers, avec des iris et des massifs de lavande dans un désordre naturel. Un énorme olivier, très vieux, jetait son ombre sur le perron. L'allée d'accès le contournait. Il veille sur moi, disait Coco.

C'est à la Pausa que se fit la rupture avec Westminster. Cette nuit-là, se souvenait Lady Abdy, les invités ont mal dormi. Churchill avait rappelé au duc les obligations de son rang et de sa famille : il *devait* épouser la fille d'un grand aristocrate anglais, Loelia Mary Ponsonby, fille du premier baron Sysonby.

Il est arrivé plus d'une fois qu'un prince épouse une bergère, voire une courtisane sortie d'un lupanar. Entre Coco et le duc, il ne s'agissait plus de la promotion, par l'amour, d'une beauté de condition inférieure, mais de l'alliance de la première femme, affranchie par la réussite, avec l'un des derniers Mohicans de la naissance et de la prédestination. Elle dura quelques années avant de se briser.

« Je ne pouvais pas abandonner la Maison Chanel », expliquait Coco.

Sans enfant du duc, elle ne voyait en celui-ci que le signe de la réussite de la Maison Chanel.

De cette Chanel au sommet de sa gloire mondaine, installée sur des conquêtes époustouflantes après une suite de victoires prodigieuses, Maurice Sachs a laissé le portrait dans son livre *La Décade de l'illusion* écrit en 1932 et dédié à Cocteau :

> *Elle était un général, un de ces jeunes généraux de l'Empire chez lesquels l'esprit de conquête domine. Oui, c'était cela : la rapidité de ses vues, l'ordonnance de ses commandements, le soin des détails et très particulièrement l'attachement qu'elle portait à son armée de travailleurs.*
>
> *[...]*
>
> *Elle n'était pas régulièrement belle mais elle était irrésistible. Sa parole n'était pas éblouissante mais son esprit et son cœur étaient inoubliables. Et si son œuvre n'est pas de celles que conservent les temps, je veux croire que ceux qui écriront l'histoire des premières décades de ce siècle auront à la mémoire la grande entreprise de Chanel.*

Si Coco n'a pas épousé son prince, leur liaison n'en fut pas moins une sorte de mariage. *Pendant treize ans j'ai vécu à la campagne*. Les années de campagne, pour Coco, ont compté double... Le temps, manifestement, lui a paru long. En s'appuyant contre l'arbre Westminster, elle s'était endormie ; elle allait se réveiller dans un univers changé par la guerre.

« Vous savez, mon cher, en 1939 je suis tombée sur mon derrière. Je n'avais encore jamais réfléchi à ça, que je pouvais vieillir. J'avais toujours eu à côté de moi des amis intelligents, agréables, et tout à coup je me suis trouvée seule, séparée de tout ce que j'aimais parce que c'était de l'autre côté de l'eau. »

Il faut retenir cet aveu : *tout ce que j'aimais était de l'autre côté de l'eau.*

« Je me suis trouvée devant des gens d'un cynisme abominable, qui ne parlaient que de jeunesse. Il a bien fallu que je réfléchisse et que j'admette que je n'étais plus jeune. Je n'y avais jamais pensé. Ça ne m'était pas venu à l'esprit. »

Qui lui parlait cyniquement de jeunesse ? C'est secondaire. Elle avait dormi. Elle se réveillait. Plus ou moins consciemment, elle se protégeait contre le vieillissement par l'enrichissement. Il lui fallait de plus en plus d'argent pour garantir son indépendance.

La curiosité de la mort

QUELLE FUT la part de l'amour dans la vie de Mademoiselle Chanel ? Au terme de son existence, elle se souvenait de quelques hommes à voix haute, ce qui ne signifie pas qu'elle ait oublié les autres, dont elle ne parlait pas. Ils furent nombreux. Des aventures très *masculines*, si je puis dire, conduites comme les hommes menaient leurs entreprises de conquête galante. On peut s'en faire une idée par cette confidence livrée un soir, devant la porte du Ritz. Elle se trouvait en Italie avec une amie richissime, l'une de ses meilleures clientes ; deux *fidèles* les accompagnaient, un journaliste et un décorateur. Ils avaient dîné dans une auberge de campagne. Des jeunes gens s'approchèrent de leur table :

« Mon amie, qui est grande et belle, a levé son verre en direction de ces garçons. Le décorateur leur a offert à boire, malgré mes avertissements : "Vous êtes fou, ils vont s'imaginer qu'ils pourront nous emmener sur une plage." Ça n'aurait peut-être pas déplu à mon amie, mais moi, qui suis une petite chose si fragile… Mon amie m'a demandé après : "Aurais-tu préféré subir ou mourir ?" Je n'aurais tout de même pas voulu mourir. Nous avons pu regagner l'hôtel. J'aurais embrassé le portier. Il a pris une canne pour menacer ces jeunes qui restaient devant l'entrée. Il ne fallait pas offrir à boire à ces jeunes du peuple. Ils espéraient que ça irait plus loin. Vous devinez à quoi ils pensaient. Ça n'aurait pas déplu à l'un de nos deux amis, mais je lui ai dit que je ne voulais pas d'histoires avec la police. »

Est-ce la trahir que de rapporter cette confidence ? Elle corrige l'éclairage de sa vie sentimentale. « Coco est pédéraste », plaisantait Cocteau, pour donner à comprendre qu'elle aussi aimait les hommes. Il n'est pas facile de concilier ses regrets romanesques pour Boy et la liberté avec laquelle, de toute évidence, il lui arrivait de suivre des impulsions très charnelles.

Quels furent ses vrais sentiments pour Pierre Reverdy, un poète méconnu, dont elle célébrait le génie ?

« L'amour commence par l'amour et on ne saurait passer de la plus forte amitié qu'à un amour faible. »

Ayant ouvert au hasard les *Caractères* de La Bruyère, Reverdy avait transcrit cette pensée pour Coco en ajoutant ce commentaire :

«... mais il n'a pas dit que l'on pouvait passer d'un grand amour à une impérissable amitié. Moi, j'ai écrit qu'il n'y a pas de véritable amour sans amitié, ni de grande amitié sans amour (ceci entre hommes et en prenant le mot amour dans un sens particulier). Mais il faut avoir du culot pour écrire dans ce genre quand on a lu ce type-là. Faites-vous acheter les *Caractères* (si vous les avez dans votre bibliothèque, prenez-les), les *Maximes* de la Rochefoucauld et celles de Chamfort. De temps en temps, lisez-en quelques-unes le soir. »

Comment le prendre ? De la cuistrerie ? J'étais aussi prétentieux que Reverdy quand je recommandais à Coco de lire le *Livre des Proverbes* dans la Bible.

C'est encore par Misia que Coco avait connu Reverdy. Elle lui soumettait les maximes, les pensées qu'elle m'avait lues. Il les corrigeait comme un devoir d'écolière :

« Je vous félicite pour ces trois pensées que vous m'avez envoyées, écrivait-il dans l'une de ses nombreuses lettres dont aucune n'est datée. Elles sont très bonnes, la dernière parfaite et tout à fait en haut dans ce que l'on peut chercher dans ce genre. »

La foi écarte Pierre Reverdy des applaudissements du monde, a écrit Misia dans son livre, en se félicitant d'avoir pu l'aider à se retirer à l'abbaye de Solesmes[1], ce qui était son désir le plus cher, affirmait-elle. Que cherchait Coco auprès de Reverdy ? Que trouvait-elle ?

« Elle est folle, commentait le duc de Westminster, elle aime un curé. »

Reverdy s'était converti comme Cocteau, comme Maurice Sachs et d'autres, sous l'influence de Jacques Maritain et de sa femme. « Le purgatoire commence quand on se dit qu'il faudra tout laisser », murmurait Coco.

Elle n'était pas la seule que le talent et le comportement de Reverdy impressionnaient. Ses amis s'appelaient Apollinaire, Cendrars et Max Jacob. Au Bateau Lavoir, où il retrouvait André Salmon, il avait connu Picasso, Braque, Juan Gris. Ils devinrent tous célèbres et riches, sauf Juan Gris, mort trop jeune pour connaître sa réussite. Reverdy, lui, vivait d'une petite rente versée par un éditeur.

« Si vous écriviez vos poèmes sur des feuilles séparées en les signant, comme vos amis peintres leurs tableaux, vous deviendriez aussi riche qu'eux, pour peu que le snobisme s'en mêle », répétait Coco.

Elle eût fait le nécessaire éventuellement. Mais Reverdy dédaignait le succès. On l'avait entendu prier, après un accident : « Faites, Seigneur, que je demeure un poète inconnu. »

Que certains de ses pairs reconnaissent sa valeur ne l'empêchait pas de souffrir de son effacement. Dans son exil monacal, il captait les rumeurs de Paris. Un critique d'art devenu éditeur, Tériade, publia ses poèmes illustrés par Picasso ; le livre est recherché par les bibliophiles[2].

---

1. Avec l'aide financière de Coco.
2. *Le Chant des morts.*

Misia, qui jetait des dessins de Toulouse-Lautrec et des quatrains de Mallarmé, a publié dans son livre quelques lettres de Reverdy :

« Je vous aime tant, je pense à vous avec tant de tendresse. Vous êtes de ceux que j'aime jusqu'à la douleur. Vous manquez souvent à mes bras, à mes lèvres, et à mon cœur. Vous êtes un morceau de ma vie, un côté bleu. Ici, dans ce silence que quelques-uns diraient mortel (on n'entend parler que les oiseaux et chanter que les moines), j'écoute Dieu et j'aime mes amis d'un amour divin. Ce serait, Misia, une chose atroce que de quitter le monde avec un cœur sec – c'en est une délicieuse et gaie que de le quitter par un excès d'amour. »

Dans sa correspondance avec Coco, Reverdy prend un ton bien différent. Avec Misia, le ciel est bleu, les oiseaux parlent, les moines chantent. Il rend des comptes à Coco :

« Je viendrai vous voir bientôt, mais je ne resterai pas longtemps. »

C'est écrit en réponse à un télégramme impérieux qui exige sa présence. Il évoque sa paix, à l'abbaye de Solesmes :

« J'ai besoin de cette solitude. Il est temps que je change de vie si je ne veux pas arriver au mépris complet de moi-même. Courir après le plaisir, c'est courir après le vent. On s'essouffle, on n'en garde qu'une pénible amertume. »

Il travaille, il affirme qu'il a ramassé en deux mois la matière d'un volume, il réfléchit, il cherche, il s'interroge : doit-il entrer vraiment au couvent ?

« J'ai trop longtemps laissé le pas à cette poésie qui ne demandait qu'à courir après le plaisir. »

Il écrivait ses lettres bizarrement, en prenant la feuille dans le sens de la hauteur, une quinzaine de mots par ligne, très lisibles, notamment quand il professait.

« Les œuvres ne sont solides et fortes que si elles sont édifiées par une tête ; mais sublimes elles ne le sont que par le cœur et c'est tout un malheur s'il y a trop peu de tête et trop de cœur. Le secret et l'écueil de ce genre d'expression (les maximes, les pensées), c'est qu'il exige la concision, le poids et la profondeur, la justesse et la légèreté. On se trouve à tout moment entre la difficulté de garder la précision, l'exactitude de ce que l'on veut dire et la bonne forme qui vous demande toujours des sacrifices. »

Après avoir relu ce passage d'un livre de Reverdy, *Le Gant de crin,* j'écoute Coco :

« J'ai trouvé des papiers cet après-midi. Je notais des choses, des pensées. En relisant ça, j'ai constaté que j'ai un grand mépris pour les femmes, à commencer par moi-même, puisque j'énonce péremptoirement que personne ne pense plus de mal de moi que moi.

Je m'embêtais à mourir quand j'écrivais ça, en Amérique, à New York. J'ai habité pendant trois mois chez les Zwuylen, au Waldorf. J'ai retrouvé alors mon vieil esprit théosophe. J'ai écrit que le bonheur serait peut-être la réalisation de la pensée et que c'est dans la mort qu'on achève les pensées inachevées. À quoi est-ce que je pensais quand j'écrivais tout ça ? Pourquoi ai-je gardé ces bouts de papier ? »

« Je n'ai plus qu'une curiosité, la mort », devait-elle me dire.

On entrevoit l'importance que Reverdy prenait pour Coco. Il détenait les clefs d'un passage qu'elle cherchait. Elle se disait théosophe ; qu'est-ce que cela signifiait pour elle ? Boy Capel lisait la *Bhagavad Gîta.* Au début du siècle, l'épouse (divorcée, déçue) d'un révérend anglais, Annie Besant, avait mis à la mode quelques idées qui faisaient rêver les esprits forts. La métempsycose ! On ne mourait plus, on changeait de dimension, on passait à un autre plan.

« Je crois à la quatrième dimension, et à une cinquième, et à une sixième, disait Coco. C'est né du besoin d'être rassuré, de croire que l'on ne perd jamais tout et qu'il se passe quelque chose de l'autre côté. »

Aujourd'hui, elle serait hantée par l'explication que Yoko Ono, la femme du Beatle assassiné à New York, donnait à leur petit garçon de trois ans :

« Ton papa maintenant fait partie de tout. »

Notre conversation dérivait d'une question sur l'horoscope. Est-ce qu'elle consultait le sien dans les journaux ?

« Jamais ! Jamais ! C'est amusant pour les journaux d'avoir inventé ça, mais il faudrait tout de même que de temps en temps ça paraisse vraisemblable. Je crois à l'irréel, je crois à tout ce qui est plein de mystère. Je ne crois ni au spiritisme, ni à l'hypnotisme. »

Elle évoquait des entretiens avec l'abbé Mugnier (que l'on crédite comme les Maritain de quelques conversions mondaines) :

— Monsieur l'abbé, je vous dis tout de suite que je ne sais plus si je suis encore catholique, en tout cas je ne suis pas pratiquante.

— Il y a des gens faits pour pratiquer. Vous ne l'êtes pas. L'enfer existe, murmurait l'abbé gentiment, mais il est vide.

— Je ne suis pas assez calée, monsieur l'abbé, pour discuter de ces choses avec vous.

Le lendemain, précisait Coco, elle avait envoyé à l'abbé Mugnier un phonographe avec des disques de Wagner, qu'il adorait. « J'espère qu'il m'a pardonné d'avoir avoué que la messe m'ennuyait et que je n'y allais plus, pas même pour l'exemple. »

Elle se *couvrait*, elle versait une prime à l'abbé en lui offrant un beau cadeau. En feuilletant mon livre *Et Moïse créa Dieu*, elle tomba sur cette définition : *Dieu est la force qui permet à l'homme d'accomplir l'œuvre de Dieu.*

« Pourquoi Moïse, mon cher ? Vous croyez que ces vieilles histoires intéressent encore les gens ? Vous croyez que ça plaira aux Juifs, votre livre ? Ils ne l'achèteront pas. »

Il lui arrivait, notamment quand on parlait des boutiques de mode qui poussaient partout comme des champignons, de manifester un antisémitisme passionnel. Comme les enfants de son temps, elle l'avait absorbé au catéchisme. Les Juifs n'avaient-ils pas crucifié Jésus ? C'était gravé profond dans les têtes et venait des premiers temps du christianisme.

« Je n'ai peur que des Juifs et des Chinois, disait Coco, et davantage des Juifs que des Chinois. »

Je lui avais demandé si elle connaissait l'histoire de la Création selon la Bible.

— Elle n'a aucun intérêt pour nous. C'est pour les enfants, disait-elle.

— Vous ne vous êtes jamais demandé pourquoi Dieu, après avoir fait le monde en six jours, s'est reposé le septième jour ?

— Pourquoi me le serais-je demandé ?

— Est-ce que Dieu se *fatigue* ?

— Sûrement pas.

— Mais d'autres se fatiguaient énormément, d'autres ne se reposaient jamais, les fellahs, ceux qui furent chez nous les serfs, ou les moujiks en Russie, ou les intouchables en Inde, les esclaves, ceux que nous appelons maintenant les prolétaires. Ce sont des gens comme ça que Moïse a libérés en leur répétant qu'ils étaient des enfants de Dieu, comme ceux qui les exploitaient.

Elle écoutait sans m'entendre, vaguement troublée, parce qu'elle me reconnaissait dans ce domaine (biblique) une certaine compétence, mais sans songer à tirer des enseignements du passé pour le présent. Elle détestait le mot révolution. Elle allait être complètement prise de court par les remous sociaux de 1936. Elle refusa alors toute discussion avec les représentants de son personnel. Patronne de droit divin ! Est-ce que tous ces gens ne devaient pas lui être reconnaissants de les faire vivre ?

À la radio, elle avait écouté un prêtre, peut-être une vedette du carême prêchant à Notre-Dame, qui expliquait que toutes les religions sont *admissibles*.

« C'est la première fois que j'entends un curé dire des choses pareilles, et il le disait bien, il amenait ça par des paraboles. Je pensais : tu as raison d'écouter la radio, voilà quelque chose qui te fait plaisir. »

Le ciel est vide, avait remarqué Gagarine, le premier voyageur de l'espace. Parfois elle en parlait. Quand Soyouz I s'écrasa, elle bougonna :

— Qu'est-ce qu'on va chercher là-haut ? Allons explorer le cosmos quand tout le monde aura des cabinets dans son appartement. Nous sommes nés sur la terre, il faut y rester.

— On aurait pu dire la même chose à Christophe Colomb, Coco : Vous êtes né à Gênes, restez chez vous.

Ma remarque la surprenait.

— Combien de jours a mis Colomb pour découvrir l'Amérique ?

— Il n'a rien découvert du tout, ce sont les Hollandais, dit-elle vivement.

— Vous ne vous demandez jamais où Colomb débarquerait après un voyage aussi long dans une fusée spatiale ?

— Vous me faites rire.

Elle aurait voulu rencontrer le savant atomiste Oppenheimer. Pierre Lazareff, ou sa femme Hélène, avait promis de le lui amener.

« Demain ! demain ! On me disait : serez-vous libre tel jour ? Mais je suis toujours libre n'importe quel jour, pour une chose comme ça. J'ai éprouvé une passion pour M. Oppenheimer parce qu'on m'a dit qu'il lisait la *Bhagavad Gîta*. Jugez de ma futilité ! Il avait inventé la bombe, il y avait travaillé, et il revenait à ça, il s'occupait d'ésotérisme hindou. Je me disais : ce sera merveilleux de parler avec un grand savant comme lui, oh ! pas de choses savantes, pas de la bombe, mais essayer de comprendre pourquoi il s'était mis à ça. Oppenheimer, c'était tout à fait pour moi. J'y ai pensé pendant six mois, ça devenait une obsession. Cela ne s'est pas fait. C'est une déception de plus. Ou de moins, car, après tout, il aurait pu me décevoir, on peut rêver. Les Anglais renvoient ce savant, Fuchs[1] ; il a été condamné à sept ans de prison et il les a faits ; je trouve que c'était bête, il n'a rien volé, il n'a rien vendu, c'est lui qui avait inventé ce qu'il a donné aux Russes. C'est un très grand savant, on l'a mis à la porte. Je me serais cramponnée à lui, si j'avais été anglaise. Il a fait ça pour éviter la guerre. Ils ont quelque chose de terrible entre les mains, ces gens-là, ils le savent. Ils se disent que lorsque tout le monde saura tout, ce sera moins dangereux. Ils ont beaucoup d'admiration les uns pour les autres. »

L'ésotérisme de Boy, l'espionnage atomique, les explorations d'un enfer vide avec l'abbé Mugnier, tout cela correspondait à ce qu'elle cherchait chez Reverdy, maître à penser, confesseur et juge. Son amant ? On

1. Condamné pour espionnage atomique au profit de l'URSS.

le voyait à la Pausa. Ils auraient pu se marier, estimait Lady Abdy :

« Reverdy avait de très belles dents. C'était un voyou. »

Il faut s'entendre sur le mot voyou, que Lady Abdy utilisait également pour Westminster : beaucoup d'astuce, du cynisme, un charme canaille, un grand cœur, de la drôlerie, même si Reverdy devait être souvent lugubre. Il acceptait un soutien financier de Coco, en refusant, dans la mesure du possible, les contreparties jugées contraignantes. Pourquoi s'intéresse-t-elle à moi ? À en juger par quelques lettres, il se posait la même question que Diaghilev, et l'on comprend assez bien leur commune perplexité devant une femme qui s'engageait dans leur existence comme aurait pu le faire un protecteur des temps anciens, un seigneur ou un roi.

Avant que la guerre de 1940 ne fasse de Coco une personne entièrement différente, plus féroce, mais moins influente dans le domaine artistique, il y eut un autre *prétendant* : le dessinateur Paul Iribe. Ils furent à deux doigts de se marier. Coco ne m'a parlé de lui que par des allusions au journal qu'il faisait, et qu'elle finançait, *Le Témoin*[1], un brûlot réactionnaire, très chauvin – la France aux Français. *Le Témoin* se vendait mal, la droite ne manquait pas de journaux pour exploiter ses filons. On trouve, en feuilletant la collection, des Marianne amaigries, dessinées (burinées) par Iribe pour les couvertures, qui malgré leurs seins affaissés font penser à Coco. Les idées et le langage d'Iribe, penseur politique et moraliste maurrassien, la réconfortèrent après l'explosion populaire de 1936. Iribe était mort depuis un

1. *Le Témoin*, 1906-1910, puis le reprend pour soixante-neuf numéros en 1933. Paul Iribe (1883-1935) était dessinateur et créateur de mode. Il a été directeur artistique de Cecile B. De Mille à Hollywood. Il est considéré comme l'un des grands créateurs de l'Art Déco.

an, d'une embolie, sur le court de tennis de la Pausa. Est-ce que Coco se demandait parfois si elle n'avait pas le *mauvais œil* pour ses amants ? Balsan et Capel sont morts dans des accidents de voiture.

Iribe avait fait une (assez courte) carrière à Hollywood. L'argent de Coco ne l'impressionnait pas, c'était un mâle, on dirait maintenant un macho. Ministre pendant la Commune, son père, un architecte, dirigeait les opérations quand on renversa la colonne Vendôme. Pour mettre Coco en garde contre les « folies » d'Iribe, ses amis lui disaient :

« N'oublie pas que son père a mis la colonne sur la paille. »

A-t-elle confié (sur l'oreiller ?) quelques bouts de sa vérité à ceux de ses amants qui ne savaient rien de son passé ? Jamais, on peut en être sûr, et cette force de silence fut évidemment sa grande faiblesse de femme. On peut désirer une femme sans ombre, mais il est difficile de vivre avec elle.

Parfois, Coco se racontait une histoire pour satisfaire son goût du romanesque. À Venise, après un bal chez les Arrivabene, dans leur palais sur le Grand Canal, elle décida de rentrer à son hôtel à pied. Elle était descendue au Danieli, sur le quai des Esclavons. L'eût-on laissée partir, seule dans la nuit, en cape d'hermine, avec une étoile de diamants dans les cheveux et bien d'autres bijoux sur elle ? Elle se perdit dans les ruelles et tomba sur un banc, épuisée. Un jeune homme dormait là, il était d'une grande beauté. On imagine sa stupeur quand il se réveilla.

— Je suis perdue, je veux rentrer au Danieli.

— Venez.

Devant l'hôtel, il la retint :

— On monte chez toi ou on va chez moi ?

Elle se sentit troublée ; rappelons-nous l'aventure sur la plage italienne.

« Je me suis ressaisie, je suis rentrée. Quand, au petit déjeuner, ma promenade m'est revenue en mémoire, je me suis dit : quelle chance que tu n'aies pas cédé, comme tu serais embarrassée maintenant. »

Comme tu serais embarrassée maintenant... Pourquoi se compliquer l'existence avec ça ? Un homme ! Quand on les a tous !

Le silence de l'Occupation. Une mission pour la Gestapo ?

On n'a jamais compris pourquoi Mademoiselle Chanel ferma sa maison à la déclaration de guerre, en septembre 1939. On a insinué qu'elle se retirait, éclipsée par Schiaparelli. « J'ai cessé de travailler parce que tout le monde chez moi avait quelqu'un qui partait, un mari, un père, un frère. La Maison s'est vidée en quelques heures. »

Elle n'employait que des femmes.

« Comment croire qu'il y aurait encore des gens pour acheter des robes ? Je me suis dit : tu vas tout laisser en ordre et t'occuper d'autre chose. Je me trompais : certains ont vendu des robes pendant toute la guerre, cela me servira de leçon. Quoi qu'il puisse arriver, je ferai mes robes. »

La veille, voire la minute d'avant, elle expliquait qu'elle devait son succès à la guerre, l'autre, la Grande. On a laissé entendre, dans les nécrologies publiées lors de sa disparition, qu'elle n'avait pas digéré en 1939 les lois sociales de 1936, les fameux accords de Matignon. Elle avait mis une maison de vacances à la disposition de ses ouvrières à Mimizan.

Son neveu Pallasse fut mobilisé ; je ne l'ai jamais vu, mais Coco parlait plus souvent de lui que de ses « nièces ». Elle l'avait adopté à la mort de sa sœur Julia-Berthe. C'était la période Capel. Élevé chez les jésuites, en Angleterre, Boy avait suggéré à Coco de confier Pallasse à la même institution. L'uniforme du jeune collégien, le blazer en jersey, avait donné des idées à Coco.

« En Angleterre, affirmait-elle, Pallasse était officier, mais il a voulu servir en France. Il a donc fait la drôle de guerre comme soldat. Elle n'était drôle que pour ceux qui ne la faisaient pas, disait-il. Il savait qu'on la perdrait. On l'a mis dans les premières lignes, comme pionnier. Quand les Allemands sont arrivés… »

Elle mimait une scène de bataille comme elle l'imaginait, les Allemands assis deux par deux sur les voitures blindées, les genoux serrés, elle pressait les siens l'un contre l'autre, elle se tenait très droite, elle tirait sa jupe sous les fesses et la ramenait sur ses genoux.

« Il y avait des Allemands partout. »

Ils avaient salué son neveu et les pionniers après le combat. Elle saluait. Son neveu passa pas mal de temps en captivité, avant qu'elle réussisse à le faire libérer. (On verra dans quelles conditions.)

Alors que je nouais connaissance avec elle, la presse s'intéressait à une histoire de jumeaux, dont l'un avait été échangé à la naissance, dans une clinique du Nord, avec un autre enfant. Quand on s'en aperçut, la fausse mère du jumeau *égaré* ne voulut pas le rendre. Elle refusait de reprendre *son* fils.

« Je l'adopterai », avait crié Coco après avoir entendu l'histoire. Très vite, elle avait ajouté : « Je le mettrai dans le meilleur collège en Suisse. À condition que personne n'en sache rien », précisait-elle encore.

Tout cela donnait d'elle une impression bizarre. Avait-elle du cœur ? Voici des souvenirs qu'elle égrena sur une des périodes les plus sombres de sa vie, l'exode :

« Je n'ai pas quitté Paris à cause des Allemands. Qu'est-ce qu'on pouvait me faire ? J'étais en règle. Ma Maison était fermée. »

Elle voulait indiquer qu'elle n'avait pas cédé à la panique générale. Dans ce cas, pourquoi était-elle partie ? Elle n'entendait pas ce genre de questions. Son « mécanicien » étant mobilisé, elle avait embauché un chauffeur au dernier moment ; il refusa de conduire sa Rolls et l'emmena dans sa propre voiture. Le flux de l'exode la déposa à Pau, où (selon Louise de Vilmorin) elle avait été éblouie par Boy. De quoi se souvenait-elle ? De l'ennui qui l'accablait. L'armistice ? Pétain ? La plus formidable débâcle militaire de l'histoire de France ? Jamais un mot là-dessus. Elle allait chez le coiffeur pour passer le temps, et c'est là qu'elle retrouva Marie-Louise Bousquet. Très parisienne, gaie et cocasse, Marie-Louise avait un salon. Elle recevait les gens dans le vent entre les deux guerres. Après la Libération, elle devint un pôle du snobisme américano-français, une locomotive de la jet-set en formation. Elle représenta alors *Harper's Bazaar* à Paris. Coco lui proposa de la ramener à Paris ; elle emmena aussi une doctoresse, dont je n'ai pas retenu le nom. Un ami lui avait procuré un fût d'essence.

— Ça sentait le pétrole, dit-elle.

Premier arrêt à Vichy. Dîner à l'Hôtel du Parc. Quand ? Quelques semaines après l'armistice. Le Maréchal prenait ses repas à l'Hôtel du Parc, Laval aussi. Au début, ils mangeaient l'un et l'autre dans la salle commune, où les tables étaient évidemment très convoitées. Coco donnait des détails déprimants :

« Tout le monde riait, buvait du champagne. Ces dames portaient des chapeaux grands comme ça. J'ai dit : Tiens, c'est la pleine saison ici. Un monsieur s'est tourné vers moi : Que voulez-vous dire, madame ? J'ai répondu : Je veux dire qu'on est bien gai ici et que c'est bien agréable. La femme du monsieur l'a calmé. »

Difficile de restituer un climat avec plus de férocité, en moins de mots. Où passer la nuit ? Marie-Louise Bousquet dormit sur une chaise longue, dans une lingerie. On proposa à Coco, le lit d'un garde mobile, qui était de service après 20 heures.

« Un monsieur m'offrait son lit, à condition que je le partage avec lui. J'ai réussi à attendrir le propriétaire d'un hôtel où l'on me connaissait. On m'a mise dans une mansarde où je crevais de chaleur. Je me levais toutes les heures pour aller respirer aux cabinets. »

Une lettre l'attendait à Vichy, ce qui donne une vague idée du temps écoulé depuis le départ de Paris. Les postes fonctionnaient.

« À ma surprise, j'ai appris que les Allemands n'occupaient pas mon appartement au Ritz. Ils n'avaient pas même ouvert mes malles, dans l'entrée, avec mon nom en grandes lettres. Un général les avait remarquées : "S'il s'agit de Mademoiselle Chanel qui fait les robes et les parfums, elle peut rester." Les Allemands n'étaient pas tous des voyous. C'est ce qui me sépare parfois de Georges et de Jeff Kessel. Ils n'étaient pas là et ils veulent raconter ce qui s'est passé. Les Allemands, moi, je ne les voyais pas. Lisez ce qu'écrivait Maurice Sachs. Il avait des amis allemands. Il a voulu faire jouer une pièce sous son nom. On lui a dit : non ! pas avec ce nom, mais on ne lui a rien fait. Il est parti pour l'Allemagne parce qu'il l'a voulu. À Hambourg, il a fait des choses atroces, il a été assassiné par des Français parce qu'il dénonçait tout le monde. Je le dis à Jeff et à Georges. Les choses étaient beaucoup plus subtiles. »

Les rares confidences que Mademoiselle Chanel livrait sur les années noires de l'Occupation ne lui font pas honneur. La guerre ne la concernait pas. Son formidable égocentrisme la protégeait mieux que le pays ne l'avait été par la ligne Maginot. Elle avait pour cela des points communs avec Sacha Guitry qui disait :

« Je voyais moins les Allemands qu'ils ne me regardaient. »

« Il y aura toujours des guerres, disait Coco, parce qu'on invente tellement de médicaments que bientôt les gens ne mourront plus. »

À Vichy, elle put faire remplir son réservoir d'essence grâce à un préfet. En route pour Paris, toujours avec ses deux passagères, Marie-Louise Bousquet et la doctoresse ; et le « mécanicien » au volant. On les arrêta pour laisser passer des réfugiés belges qui remontaient chez eux dans des chars traînés par des bœufs.

« Nous avons sorti nos matelas pour dormir dans les bois. »

Elles avaient emporté des matelas ?...

« S'il n'avait pas fait beau, l'exode n'aurait pas eu lieu, les gens seraient restés chez eux, disait Coco. Nous n'avions que des bonbons et des pâtes de fruits à manger. J'avais très faim, le grand air me donnait de l'appétit. Marie-Louise espérait qu'on nous inviterait à partager un repas, elle avait vu des gens qui cuisaient quelque chose sur un feu. On n'a rien eu. J'ai dit au "mécanicien" de s'engager sur les petites routes. Il n'y avait rien, nulle part. Nous avons échoué à Bourbon-l'Archambault, une station balnéaire. Les hôteliers se désolaient : tout avait été retenu pour la saison, mais personne n'était venu, en tout cas pas les gens qu'on attendait. Nous avons trouvé trois chambres avec bains, un vrai miracle. Je n'ai pas gagné la mienne immédiatement. Je voulais voir le pays. J'ai remarqué un petit enfant perché sur un mur, j'étais certaine qu'il allait tomber et, en effet, il a perdu l'équilibre et il a basculé, la tête la première. Je me suis précipitée, j'ai demandé qu'on ne le relève pas avant de savoir s'il n'avait pas de fractures. Il pleurait. Sa mère aussi, une pauvre femme. J'ai sorti un billet de cent francs de mon sac. Dès que le gosse l'a vu, il a cessé de pleurer ; c'est triste à dire. Il a donné le billet à sa mère qui a dit : on pourra manger ce soir. La mère avait un autre enfant, et elle était enceinte. Elle m'a montré son porte-monnaie : il lui restait cinq francs. Elle vivait avec ce qu'on voulait bien lui donner mais les gens se fatiguent de donner. C'était très triste. Quand je suis rentrée, Marie-Louise m'a demandé d'où je venais.

— Avec toi, dit-elle, on n'est jamais au bout des surprises ; qu'est-ce que tu as encore fait ?

— Ma chère, j'ai donné cent francs à un petit garçon tombé d'un mur et qui mangera ce soir.

On raconte de ces choses… On ne pouvait pas ne pas les prendre à cœur, n'est-ce pas ? On se trouvait alors dans un état très particulier. »

Avait-elle lu sur mon visage les réserves que ce souvenir m'inspirait ? Prenait-elle conscience, en l'évoquant, de son extravagante futilité ? Cent francs pour un petit garçon blessé et affamé, c'était sa contribution pour conjurer le désastre national, et elle en restait satisfaite. Elle se souvenait du bain qu'elle avait pris à Bourbon-l'Archambault, quel bonheur !

« L'eau était noire. Nous avions retiré plusieurs fois nos chaussures pour marcher dans les champs. Mes bas étaient troués. Au dîner, on nous a servi une salade cuite avec des œufs mollets par-dessus. La patronne m'a demandé si j'étais vraiment Mademoiselle Chanel. Je faisais déjà beaucoup de choses, des bijoux, des parfums, je commençais à être une personne célèbre. Cette dame m'a dit que ses parents seraient contents de me connaître. C'était des artisans tisserands. Nous sommes allés les voir. Ils m'ont offert une anisette. Ils me touchaient la main. La vieille dame a ressorti un journal avec ma photographie : c'est bien vous, Mademoiselle Chanel, a-t-elle murmuré. »

On est, de toute évidence, dans un autre monde. Les Allemands ?

« Ils nous donnaient de l'essence. On voyait des pancartes : essence française. On se faisait servir. »

Quand elle fut de retour à Paris, un directeur du Ritz l'aperçut alors qu'elle approchait de l'entrée. Il lui fit signe : n'avancez pas davantage.

« Je voyais bien les sentinelles. J'ai fait signe au directeur : venez, vous, si je ne peux pas m'approcher. Il m'a expliqué que je devais passer à la Kommandantur. Sale comme je suis ? Il faut que je me change. Est-ce que ma femme de chambre est là-haut ? Elle n'était pas rentrée. J'ai dit au directeur : allez à la Kommandantur, vous, dites-leur que Mademoiselle Chanel est arrivée. Moi, j'irai quand je serai propre. On m'a appris que pour demander quelque chose il valait mieux être propre. »

De quoi voulait-elle se convaincre ? J'ai noté un échange entre Coco et Serge Lifar, lors d'un déjeuner à trois.

— Moi, dit Lifar, en raison de ma charge [il était maître de ballets de l'Opéra], j'ai vu des tas d'Allemands, j'ai vu tout le monde, de Goering à Goebbels, mais elle, Coco, elle n'a vu personne. Jamais un Allemand. Elle ne sortait pas.

— J'aurais trouvé ça impoli, de sortir, dit Coco.

— Elle était terrible, dit Lifar. D'un courage ! Un jour je l'ai accompagnée à la Gestapo, où elle avait été convoquée.

En le racontant, le danseur baissait la tête comme s'il entendait siffler des balles à ses oreilles.

— Elle disait tout ce qui lui passait par la tête. J'essayais de la faire taire: Écoute, Coco, tu vas t'arrêter, ici ce n'est pas un jardin d'enfants. Si elle allait aujourd'hui chez de Gaulle, ajouta Lifar, ce serait pareil, elle lâcherait tout ce qu'elle a sur le cœur.

— Il va peut-être me demander de venir le voir un de ces jours, dit Coco. Il sait qu'en Amérique je l'ai appelé le général yéyé. Ça fait rire les Américains qui m'aiment bien ; les Anglais aussi m'aiment bien, pas les Français.

— Quelques Français ne t'aiment pas, dit Lifar.

— Je n'aime pas beaucoup les Américains, mais c'est aux Américains que je plais le plus. Avec les Français, rien à faire. Ils me rejettent. Ils ont décidé une fois pour toutes que j'avais du chien. Je ne sais pas ce que ça veut dire. C'est un mot atroce, n'est-ce pas ? Est-ce que ça veut dire que je n'étais pas jolie ? Est-ce que ça veut dire que je ressemble à un chien ? Je pense que ça signifie que j'ai un certain chic, exactement ce que je n'ai pas. Je n'ai pas de chic, je suis ce qu'on appelle le chic, un mot affreux aussi. Ça perd les Français, des mots comme ça, pour parler des femmes et de la mode. Elle a du chien ! Elle a du chic ! Il y a des mots qui me dérangent. Déjà à prononcer, le mot déplaît. J'ai fini par comprendre que les femmes qui ont du chien tortillent leur derrière dans la rue.

Avec quelques bouts d'os fossilisés, on reconstitue des squelettes de diplodocus. On peut, de la même façon, essayer de retrouver la Chanel des années noires. Encore faut-il consentir un effort d'imagination. Coco revient à Paris à la fin de juillet ou en août 1940. Que s'est-il passé ? Personne n'a encore compris le désastre. La guerre est terminée, on rentre chez soi. C'est toujours ce climat de soulagement. Les Allemands ? Les panneaux ? Les barrières devant le Ritz et les autres hôtels ? Oui, tout ça, c'est bizarre, mais la vie reprend.

Les boutiques. On vend des choses, moins, de moins en moins, mais ce n'est pas immédiatement la pénurie. On mange convenablement encore dans les restaurants, à des prix qui ne s'affolent pas tout de suite. Une illusion de paix. Quand l'Américaine Florence Gould relance ses invitations pour ses raouts littéraires[1], à l'Hôtel Ritz, les écrivains les plus cotés répondent présents, bien que des Allemands soient invités, notamment le lieutenant Heller qui laissera son nom dans les lettres françaises parce qu'il contrôlait ce qui était publié à l'époque.

Comment se posent les problèmes au plan politique ? L'Allemagne nazie, avec ses *Panzer* et sa *Luftwaffe* qui ont vaincu la meilleure armée du monde en quatre jours, occupe l'Europe entière. Elle a signé un pacte avec la Russie rouge. (On revient à Wagram, à la paix de Tilsit.) Que peut l'Angleterre ? L'Amérique lui envoie encore des armes, ce que les sous-marins de la *Kriegsmarine* laissent passer. Mais jusqu'à quand ? En novembre, on élit un nouveau président : Roosevelt, dans sa campagne électorale, se voit contraint de jurer qu'il n'enverra jamais les *boys* se battre au-delà des mers. Que peut l'Angleterre seule ?

Un drôle de climat. De quoi s'agit-il pour la collectivité nationale ? De survivre. Individuellement, la plupart des Français l'ont compris. Pour Coco, cela va de soi. Les Allemands sont là ? Il ne fallait pas les laisser entrer, disait Arletty, quand on lui reprochait d'en avoir aimé un. Il convient de souligner que Coco ne fait rien pour relancer ses affaires, ce qui eût été très facile pour elle.

« Pendant la guerre, racontait-elle, on ne pouvait vendre qu'une vingtaine de flacons de parfum par jour à la Maison Chanel. Une queue se formait bien avant

1. Les États-Unis ne sont pas encore en guerre.

l'ouverture, composée surtout de soldats allemands. Je riais en les voyant : Pauvres imbéciles, vous repartirez sans rien pour la plupart. Et je me disais : ce sera la même chose quand les Américains viendront. »

Quand les Américains viendront... Lorsqu'elle reprit son petit appartement au Ritz, il n'était pas évident qu'on les reverrait à Paris quatre ans après. Lors du déjeuner avec Serge Lifar, le nom d'un couturier tomba dans la conversation.

— Celui-là ! lança Lifar. Il a collaboré pendant toute la guerre. Lui et Untel ! C'étaient les hommes des Allemands. À la Libération, ils ont surgi comme résistants ! Je les avais vus pendant quatre ans avec les Allemands. Des résistants, ces deux-là ! Aucun n'a eu le courage de Coco.

— Je l'ai dit à... [l'un des deux] mon cher, la seule résistante, c'est moi.

— Tu as fermé ta Maison, rappela Lifar. Les autres travaillaient. Ils faisaient tout ce que les Allemands demandaient.

— Les Allemands payaient. On dit qu'ils payaient avec notre argent. L'Armistice nous obligeait à verser cet argent. C'était donc leur argent.

Elle rapporta le récit, qu'on lui avait fait à l'époque, d'une visite du maréchal Goering chez un grand joaillier. Elle faisait dialoguer Goering avec une personne de la direction qui l'avait accueilli :

— Monsieur le Maréchal, nous n'avons plus grand-chose à vous montrer, mais si vous le désirez nous pouvons faire revenir...

— Pas du tout, c'est la guerre, et pendant les guerres on n'achète pas de grands bijoux. Je viens pour montrer à ces jeunes gens (des officiers de sa suite) ce que produit le génie des artisans français. Je voudrais qu'ils apprennent à admirer vos montres.

Sur quoi Coco se lança dans un cours sur les montres de grand luxe dont je n'ai rien retenu pour ne pas encombrer ma mémoire. Seul Goering m'intéressait.

— Vous n'achetez vraiment rien, Monsieur le Maréchal ?

— Peut-être un petit souvenir pour faire plaisir à Mme Goering, si toutefois vous avez quelque chose qui ne soit pas trop cher.

On montra un bracelet à Goering.

— Avec de petites émeraudes, dit Coco. Ça ne coûtait pas grand-chose.

Goering n'avait pas d'argent sur lui.

— Je ferai prendre le bracelet demain.

— Pas du tout, Monsieur le Maréchal, emportez-le, vous réglerez à votre convenance.

— Il a pris le bracelet, dit Coco, mais cinq minutes après l'argent était là.

— Naturellement, dit Lifar. Pourquoi Goering n'aurait-il pas payé ? Il pouvait acheter la moitié de l'Europe.

Qu'est-ce qui frappe d'abord, dans ce que raconte Coco ? Une formidable inconscience. Qu'est-ce qui est important ? L'argent. Goering a de l'argent. Les Allemands prennent notre argent ? Non, c'est leur argent, nous avons perdu, nous devons payer. Elle *restitue* après plus d'un quart de siècle des réactions d'époque sans la moindre retouche, sans aucune correction. Elle n'a pas changé. Elle ne juge pas nécessaire d'effacer des ombres. Elle n'a jamais eu le sentiment que son comportement pendant les années noires pouvait être mal jugé. Par qui ? À qui avait-elle des comptes à rendre ?

« Je suis la femme la plus à la mode dans le monde. »

Elle me l'a dit sans vanité. Un constat. Du même ton, Louis XIV aurait pu rappeler qu'il régnait par droit divin. S'il avait perdu son armée, le Roi-Soleil aurait traité immédiatement avec le vainqueur. Coco avait ce comportement. Rien ne pouvait la compromettre. Avec des sentinelles casquées et des barrières devant le Ritz, elle restait Mademoiselle Chanel, protégée contre tout par son génie, sa gloire, et aussi, par l'argent. Elle en avait déjà beaucoup.

« Je ne voyais pas les Allemands, et ça leur faisait quelque chose qu'une femme encore pas trop mal les ignore complètement. »

Elle prenait le métro.

« Ça ne sentait pas aussi mauvais qu'on l'a dit. Les Allemands, qui redoutaient les épidémies, faisaient mettre du grésil. »

Une admiration pour l'ordre allemand, pour la discipline allemande, pour le travail allemand ?

« Les Allemands sont plus cultivés que les Français, disait-elle. Ils se fichaient complètement de ce que faisait Cocteau parce qu'ils savaient que son œuvre c'est de la frime. »

Elle eut un amant allemand, le baron Dingklag, qu'elle connaissait depuis longtemps. Un joueur de polo de Deauville. Il avait bien dix ans de moins qu'elle, qui approchait de la soixantaine. Dingklag avait appartenu aux commandos de charme que Ribbentrop lâchait sur Paris ou sur Londres pour améliorer l'image que l'on se faisait de l'Allemagne d'après les vociférations de Hitler et les violences des nazis. Il avait beaucoup plu à une Parisienne fort riche, et très jolie, qui n'était pas aryenne à 100 %. Elle quitta la France en 1940, avec son mari. Spatz, le Moineau – c'était le surnom que ses amis donnaient au baron – s'installa dans leur appartement ; pour le *conserver*. À vingt ans, après la défaite de 1918, Dingklag s'était battu contre les spartakistes qui prétendaient allumer la révolution rouge à Berlin, ce qui causait évidemment une peur bleue aux Alliés, coalisés contre les bolchevistes. Pour le baron, c'était un lointain souvenir, il avait changé de vie, il aimait son confort et les femmes qui pouvaient le lui assurer.

À Paris, Dingklag occupait un poste dans l'administration qui contrôlait la production des textiles. Pierre Balmain m'a raconté que les Allemands, grisés par leur triomphe en 1940, nourrissaient, entre autres projets, celui de faire de Berlin la capitale de la Mode de l'Europe nouvelle. Pourquoi chercher l'inspiration à Paris chez des Français dégénérés, négrifiés, enjuivés ? Il se trouvait, bien entendu, pas mal d'opportunistes à Paris pour approuver un tel projet et pour s'engager dans sa réalisation. Si l'on retrouvait les noms de tous ceux qui faisaient alors la navette par le Nord-Express entre Paris et Berlin, on aurait des surprises peu agréables, probablement.

Balmain travaillait pour le couturier Lelong, avec Christian Dior. En les réembauchant après l'armistice, Lelong avait réduit leurs appointements. Un sacrifice pour la France ! Il fallait *résister*, sauver la mode de Paris. Les affaires marchaient bien, et mieux que bien. Les couturiers ignoraient les restrictions de tissus. Balmain racontait avec une drôlerie féroce les présentations de collections, deux fois par an, comme avant, comme toujours. La femme de l'ambassadeur Abetz occupait le fauteuil-trône, entourée par les dames que je voyais pour la plupart chez Balmain ou chez Coco.

Coco, à sa façon, était très cocardière. Elle avait fortement conscience de l'importance de Chanel pour la France. Quel désastre national si on fermait la Maison, si elle mettait la clef sous le paillasson. Elle l'avait fait en septembre 1939. Pour quelle raison ? C'est un mystère. Elle versait à ses deux frères une petite mensualité. « C'est fini, leur avait-elle écrit en 1939, je ne peux plus rien pour vous, je suis aussi pauvre que vous. » C'est l'une des quelques lettres de sa main que j'ai eues sous les yeux car bien entendu on la conservait dans la famille. Elle avait une petite nièce Chanel, prénommée Gabrielle pour l'amadouer. Elle ne se laissait pas attendrir par de telles avances. Pendant la Grande Guerre, elle n'avait pas reçu un frère en poilu qui s'était présenté à la boutique. On peut tout de même se demander ce qui se serait passé si, lors de la mort de Coco, cette famille lointaine et discrète, reprise en main par un avocat remuant, s'était intéressée à sa succession.

Elle parlait de Dingklag sans le nommer. Il n'est pas allemand, disait-elle, quand on lui recommandait de se montrer plus prudente. Sa mère était anglaise. On imagine la vie du couple pendant l'Occupation. Ils conversaient en anglais. Spatz allumait un cigare. Très mondain, il baisait la main de Coco : *How are you ?* Après le duc de Westminster, le plus riche des Anglais, le baron Dingklag, un Allemand jouisseur qui avait une frousse bleue de la Russie. Pour Coco comme pour Spatz, la guerre c'était d'abord la vulgarité, la médiocrité. Et pour elle, par surcroît, l'âge, la soixantaine.

« La nature vous donne votre visage de vingt ans. La vie modèle votre visage de trente ans. Mais le visage des cinquante ans, il vous revient de le mériter. »

Elle l'avait même formulé plus crûment :

« À trente ans, une femme doit choisir entre son visage et son derrière. »

Elle ajoutait même :

« À cinquante ans une femme est responsable de son visage. Personne n'est plus jeune, à cinquante ans. Je le dis aux hommes : vous croyez que vous êtes plus beaux avec votre caillou qui se déplume ? »

Dingklag commençait-il à perdre ses cheveux ? Plus d'un an après la parution de mon livre *Coco Chanel secrète*, René de Chambrun, l'avocat international chargé des intérêts de Coco et qui m'avait amicalement documenté sur elle, me montra une lettre qu'il venait de recevoir d'un collègue allemand de Francfort, Theodor Momm, dont le contenu le stupéfiait autant que moi : Coco avait été chargée par les Allemands d'une mission archi-secrète auprès de Churchill, rien de moins qu'une proposition d'ouverture de négociations. Cela s'était passé en novembre 1943. Coco s'était rendue à Madrid, avec la bénédiction de Himmler, pour dire à Churchill :

« Assez de bêtises, Winston, assez de sang et de larmes, il faut arrêter la guerre. »

Jamais elle n'en avait soufflé mot. Quelques allusions laissaient parfois entendre qu'elle en avait fait bien plus pendant la guerre que tous ceux qui se permettaient de la critiquer. Elle avait eu quelques ennuis à la Libération :

« Ces Parisiens avec leurs manches de chemise roulées... Quatre jours avant, on les voyait avec les Allemands. Ils ne roulaient pas leurs manches. »

On lui avait montré une photo de Dingklag :

— Connaissez-vous ce monsieur ?

— Parfaitement. Je le connais depuis vingt ans.

— Où est-il ?

— C'est un Allemand. Je suppose qu'il se trouve en Allemagne. Quand il est venu prendre congé de moi, car il est fort bien élevé, il m'a dit qu'il se rendait en Allemagne.

Elle s'énervait :

« Quand on me parlait de tout ça, je demandais : avez-vous une carte ? Avec quel colonel anglais étiez-vous en rapport ? Qui vous transmettait les ordres ? En général, on ne peut pas répondre. Moi, je peux. Du côté anglais, c'était sérieux. Les Anglais sont sérieux. »

Qu'est-ce que cela voulait dire ? Il n'était pas question, pendant la guerre, d'avoir sur soi des papiers aussi compromettants.

« On pouvait les demander après, avait remarqué Coco. Tous ceux qui ont fait quelque chose de sérieux ont obtenu des papiers qu'on ne pouvait pas leur refuser. »

Elle ne montrait pas les siens et ne donnait aucun détail sur les choses *sérieuses* qu'elle avait faites. Elle eut quelques difficultés mineures à la Libération, pas grand-chose. On chuchotait qu'elle s'en était tirée avec beaucoup d'argent. On disait aussi que Churchill était intervenu en sa faveur. Churchill, l'ami de Westminster. Un habitué de la Pausa. En novembre 1943, il revenait de Téhéran, où il avait rencontré Staline avec Roosevelt. Après une escale au Caire, il devait s'arrêter à Madrid, chez l'ambassadeur de Grande-Bretagne, Hoare Belisha, un autre ami de Coco.

« Il faut savoir leur parler, aux Anglais. Moi, je sais. »

Coco en avait convaincu Theodor Momm qui, après une trentaine d'années, se décidait à *casser le morceau* à son collègue Chambrun.

Pendant l'Occupation, Theodor Momm avait la responsabilité du secteur des textiles en France. D'une famille de *Textiler*, c'était un cavalier émérite, habitué des grands concours. À Paris, il avait retrouvé un camarade de l'autre guerre, le baron Dingklag, qui l'avait présenté à Mademoiselle Chanel. Il obtint la libération de Pallasse, en faisant rouvrir une petite usine que Coco avait dans le Nord, pas grand-chose ; il fallait un directeur. Dingklag, lui, n'avait rien fait pour Pallasse. Quels étaient ses pouvoirs ? Il n'en revendiquait pas, on l'a compris.

« Quand on songe aux ennuis que l'on a causés à la Libération à Mademoiselle Chanel, on ne peut que l'admirer davantage, écrivait Theodor Momm. Son silence héroïque permet de penser qu'un peu du sang de Jeanne d'Arc coulait dans ses veines. »

Bigre ! Lui, le *Rittmeister* Momm, devenu avocat international, pourquoi avait-il attendu qu'elle soit morte pour lancer sa révélation comme une bombe, que Chambrun, au demeurant, ne tenait pas à laisser fuser trop rapidement ?

La mission à Madrid reste ténébreuse. Fin 1943, l'Allemagne nazie était aux abois. Même si l'autorité du Führer était absolue, en apparence incontestée, quantité d'initiatives étaient engagées, ou étudiées par des subalternes investis de pouvoirs occultes par des factions qui spéculaient sur l'après-défaite. Que pouvait-on attendre d'une intervention de Coco auprès de son ami Winston ?

Toujours est-il qu'une opération fut montée, que l'on baptisa *Modelhut*, « Modèle de chapeau », ou « Chapeau de Mode ». Pourquoi les Allemands faisaient-ils confiance à Coco pour rencontrer Churchill ? Parce qu'elle « savait parler aux Anglais » ?

Un président de la Chambre de commerce belgo-américaine m'a fait savoir que le nom de Mademoiselle Chanel figurait sur une liste *top-top-secret* des Français que l'on pouvait contacter en cas de besoin en toute confiance. Il appartenait à l'Intelligence Service. Il avait consulté la liste au Caire. On peut rapprocher l'information des indications de Coco :

« Avez-vous une carte ? Avec quel colonel anglais étiez-vous en rapport ? »

On pourrait donc imaginer un double jeu de Coco, utilisée parce qu'elle avait de bons contacts à Londres. Il faut se souvenir du soupir qu'elle a laissé échapper en parlant de la guerre : « Tous mes amis se trouvaient de l'autre côté. » Schellenberg, qui monta l'opération

Modelhut, n'aurait pas compté sur Coco parce qu'elle savait comment on parle aux Anglais, mais parce qu'elle les *servait* ou pouvait, éventuellement, les servir. Cela conférerait une logique à une entreprise apparemment farfelue en expliquant la facilité avec laquelle Coco se tira des embarras de la Libération. Il reste tout de même très surprenant qu'elle n'ait jamais rien dit.

Pour se rendre à Madrid, Coco exigea d'être accompagnée d'une amie anglaise, Vera Bate, beaucoup plus proche qu'elle de Winston Churchill. Vera, qu'on a aperçue à Monte-Carlo quand Coco rencontra le duc de Westminster, appartenait à la grande aristocratie anglaise. Elle avait épousé un cavalier italien de concours, le major Lombardini ; beaucoup pensaient qu'il s'agissait pour elle d'une mésalliance (cela se disait encore). Les services allemands la retrouvèrent dans un camp de concentration, en Italie ; on la suspectait d'espionnage au profit des Anglais. On la sortit de là, pour l'envoyer à Paris. Coco lui avait fait remettre un mot : « Ne pose pas de questions, fais ce que l'on te dit. »

À Berlin, l'opération *Modelhut* était endossée par Schellenberg, un protégé de Himmler, celui-ci couvrant tout. Himmler espérait encore, lors de la chute de Berlin, qu'il succéderait au Führer, et il n'était pas le seul des grands du nazisme à spéculer sur un conflit entre les Américains et les Russes pour tirer son épingle du jeu. À en croire ses Mémoires, concoctés et préfacés par Allan Bullock, Schellenberg aurait demandé en plaisantant à Himmler où il cachait son plan pour la prise de pouvoir. Tout le monde complotait autour de Hitler. Dans une telle ambiance, on comprendrait qu'on ait monté une opération aussi *innocente* que l'était apparemment *Modelhut* pour donner des gages de bonne volonté à « l'autre partie ». Pour un tel jeu, Coco offrait des avantages. Elle ne passait pas inaperçue, elle laissait des marques. Du moins pouvait-on l'espérer. En fait, et c'est bien étonnant, son aventure n'a suscité aucun écho, ni à Paris, ni à Madrid, ni à Nuremberg où Schellenberg fut jugé.

Reste qu'elle s'est rendue à Madrid avec Vera Bate en novembre 1943 et que personne n'en a jamais parlé, pas même un contrôleur de wagons-lits. Churchill s'arrêta bel et bien à Madrid mais ne rencontra personne. Il se trouvait en mauvaise santé. Son médecin personnel, le docteur Morand, le jugeait perdu ; il l'a écrit dans ses mémoires. La mission de Coco se terminait par un échec cuisant. Elle fut rappelée par Schellenberg, qu'elle aurait vu à Berlin. Selon Theodor Momm, le seul témoin vivant de *Modelhut*, lorsque Schellenberg fut condamné à six années de prison (une peine d'une indulgence stupéfiante), Coco lui fit parvenir des colis. Elle le soutint financièrement quand il put s'installer en Suisse après sa libération. Expulsé de Suisse, il s'installa dans une maison sur le lac Majeur en Italie, dont Coco assurait les dépenses. Parce qu'elle craignait ses révélations ? Par fidélité à quelque chose de personnel[1] ? Si l'opération *Modelhut* a été montée par un service allemand, il existe des dossiers. Un jour peut-être, dans une caisse récupérée au fond d'un lac, ou dans les souterrains d'une mine de sel… J'avoue que je serais sur le derrière, pour reprendre l'expression de Coco. Je l'entends parler des jeunes Parisiens qui roulaient leurs manches de chemise :

« Ils me faisaient rire. J'ai été la première à partir pour Londres. Auparavant j'ai fait un détour par la Suisse pour prendre de l'argent parce que je n'en avais plus. Quand j'ai voulu me rendre aux États-Unis, j'ai vu leur consul : “Monsieur, il me faut mon passeport pour

1. Elle ne lâcha pas non plus Spatz, qu'elle faisait vivre.

demain." Il m'a demandé de remplir un questionnaire. J'ai dit : "Monsieur, vous en savez plus sur moi que moi-même." Il a dit : "Il faut tout de même donner vos empreintes." La petite cérémonie a duré une minute. »

Elle agitait les doigts en parlant des empreintes. *Ils me faisaient rire*. Vraiment ? Ça ne devait pas lui paraître si drôle que cela, cette suspicion qui pesait sur elle. Elle se reconnaissait une certaine culpabilité, cela se percevait par l'agressivité avec laquelle elle évoquait ses rapports avec les Allemands. Elle ne leur avait rien demandé, exception faite pour la libération anticipée de son neveu Pallasse. Sacha Guitry menait son train habituel, il roulait en voiture, il se ravitaillait à Versailles dans sa ferme. Je ne pense pas que Coco ait risqué de mourir de faim, ou qu'elle ait manqué de cognac pour Spatz. En me montrant sa petite bague talisman, elle se souvint qu'elle avait eu des engelures pendant les hivers de l'Occupation. On peut en déduire qu'elle n'était ni magnifiquement chauffée, ni approvisionnée de façon scandaleuse en matières grasses. On lui a reproché de n'être jamais intervenue pour un juif en péril[1], et tout particulièrement de ne pas avoir signé une sorte de pétition en faveur de Max Jacob rédigée par Cocteau. Elle ne se sentait pas concernée, peut-on penser.

1. Alors que Guitry, lui, n'hésitait jamais.

L'enjeu d'une partie de poker : les Parfums Chanel

Après la Grande Guerre, Mademoiselle Chanel vendait trois parfums : Bois des Isles, N° 5 et Cuir de Russie. On ne les trouvait que dans ses boutiques (rue Cambon, à Deauville, Biarritz et Cannes). En 1924, Pierre et Paul Wertheimer, propriétaires richissimes des Parfums Bourjois, proposèrent à Coco de créer les Parfums Chanel, une société anonyme qui assurerait la promotion et la vente des trois parfums en France et dans le monde. Puisque ce sont les meilleurs, répétaient les deux frères. Pierre, grand amateur de femmes, éprouvait pour Coco plus que de l'admiration.

Nommée présidente des Parfums Chanel S.A., Coco avait fait apport à la société de la propriété de ses parfums, avec les formules et les procédés de fabrication. On lui avait remis 200 actions de 500 francs entièrement libérées, représentant 10 % du capital. Elle obtenait également 10 % du capital des sociétés créées à l'étranger. On ne sera pas surpris en apprenant qu'après très peu de temps Coco se sentit atrocement lésée. Elle donnait tout et on lui abandonnait généreusement 10 % des profits. Comment avait-elle pu signer un tel contrat ? Une vache à lait, elle n'était rien d'autre. Cela ne pouvait pas durer. En 1935, elle mobilisa un jeune avocat international (c'était une nouveauté), René de Chambrun. Il avait passé quatre années dans un cabinet de New York et venait de s'installer aux Champs-Élysées, dans un immense bureau que son père, le général de Chambrun, administrateur de la National City Bank, mettait à sa disposition.

« Tu nous donneras de mauvais conseils, en échange tu ne paieras pas de loyer », avait bougonné le général.

René de Chambrun garde comme une pièce historique la chaise sur laquelle Mademoiselle Chanel s'est installée en face de son bureau. Elle était sa première cliente. Il la trouvait très belle.

— À New York, dit-elle, vous avez sûrement vu M. Pierre Wertheimer ?

— Non, mademoiselle.

— Il me roule. Vous êtes jeune. On me dit que vous êtes accrocheur. Je cherche quelqu'un qui puisse me consacrer beaucoup de temps.

L'avocat n'en manquait pas. Le torchon brûlait depuis plusieurs années déjà entre Coco et les frères Wertheimer. Dans le dossier qu'elle confia à Chambrun, il trouva une assignation adressée par Coco elle-même à la Société des Parfums Chanel. Elle datait de 1931. Les Wertheimer produisaient les parfums Chanel dans leur maison, Bourjois. Plus l'affaire se développait, plus Coco regrettait sa décision. Elle s'apprêtait à plaider en 1939 pour recouvrer sa liberté. Ce fut la guerre. Les Wertheimer partirent pour les États-Unis. Ils avaient vendu leurs actions à un constructeur d'avions ; en vérité, ils les lui avaient confiées, pour exploiter les parfums pendant l'Occupation. On en vendait en Allemagne. De leur côté, les Wertheimer produisaient du Chanel dans une usine, à Hoboken, près de New York. Pas question là-bas de se conformer aux formules Chanel ; on ne disposait d'aucune des essences naturelles que Coco achetait à Grasse. Qui vérifiait ? On trouvait du Chanel N° 5 dans les fameux P.X., les coopératives dans lesquelles les GI's se ravitaillaient en cigarettes, en chewing-gum, en chocolat, un formidable marché. Cela n'était évidemment pas conforme aux accords conclus avec la présidente de Chanel Parfums, qui, pendant les années de guerre, fut créditée de *royalties* dérisoires, pas plus de 5 000 dollars par an (en moyenne). Pour compliquer les choses, les frères Wertheimer avaient revendu leurs actions de Chanel Parfums à une nouvelle société, Chanel Inc., New York. La part de Coco se trouvait réduite à des poussières. Elle voyait rouge. Pour ajouter à sa fureur, elle devait constater que la publicité pour les parfums Bourjois et les parfums Chanel était liée. Bourjois et Chanel présentaient leurs vœux de fin d'année sur un même placard. Plus douloureux encore : pour obtenir du Chanel, il fallait acheter des parfums Bourjois.

« Je veux me venger », répétait Coco à René de Chambrun.

Comment ? En 1946, une année après la capitulation du Reich, elle mit en vente, dans sa boutique seulement, rue Cambon, un nouveau parfum: Mademoiselle Chanel. Chambrun estimait que les statuts de Chanel Parfums ne le lui interdisaient pas. La société n'en obtint pas moins une saisie, après plainte en contrefaçon. De quoi assommer quelqu'un de moins *fulgurant* que Coco. On la détroussait, on la volait, elle tentait de se défendre et la Loi la condamnait. Que faire ? Elle *payait* son comportement pendant l'Occupation. Pouvait-elle en convenir ? René de Chambrun, gendre de Laval, se trouvait lui-même dans une situation difficile.

Pour plaider le dossier de Mademoiselle Chanel, Chambrun demanda au bâtonnier Chresteil de l'épauler. Tous deux conseillaient au demeurant à leur cliente de rechercher un arrangement à l'amiable. En pure perte, elle voulait aller jusqu'au bout. Tout ou rien ! Juridiquement, les frères Wertheimer disposaient d'un argument solide : s'ils étaient partis en 1924 des formules de Coco, ils n'en avaient pas moins consenti des apports d'argent considérables, ils avaient fait des Parfums Chanel une grande affaire, à l'échelle mondiale. Personne ne pouvait minimiser l'importance et l'efficacité de leur participation. Ils comptaient par ailleurs tirer parti de l'âge de Mademoiselle Chanel. En 1924, elle avait du talent. En 1946, elle avait soixante-trois ans.

On plaida et le jugement fut mis en délibéré pour deux mois. Coco avait déjà préparé une parade magistrale.

— Ils vont voir, si je suis trop vieille ! Chez moi, avec un alambic, j'ai le droit de faire ce que je veux ?

— Absolument, dit René de Chambrun.

— Et ce que j'ai fait, je peux l'offrir à votre femme ?

— Aucune loi ne peut vous en empêcher.

Elle sortit de son sac plusieurs flacons minuscules et les donna à l'avocat :

— Faites-les respirer par Josée.

Josée de Chambrun trouva les échantillons fantastiques. René de Chambrun les soumit à un « nez » de Coty, un Russe, qui poussa des cris d'extase en les reniflant : fabuleux, incroyable ! Il ne restait à Coco qu'à se rendre en Suisse, où un petit parfumeur qui travaillait pour elle fabriqua rapidement une centaine de flacons, avec du Mademoiselle Chanel N° 5, du Mademoiselle Chanel Cuir de Russie, du Mademoiselle Chanel Bois des Isles. Des formules différentes. Des flacons différents. Des étiquettes différentes.

— J'ai le droit d'offrir ça à mes amis, René ?

Les amis auxquels elle envoya les nouveaux parfums étaient directeurs de grands magasins à New York. À peine venaient-ils de recevoir les gentils cadeaux de Coco que celle-ci vit arriver chez elle les frères Wertheimer. La situation était entièrement renversée, c'étaient eux qui sollicitaient un arrangement à l'amiable. Le procès fut interrompu, le jugement jamais rendu. Un nouvel accord entre Mademoiselle Chanel et les frères Wertheimer prévoyait :

1. que Mademoiselle Chanel avait le droit de fabriquer et de vendre partout des parfums « Mademoiselle Chanel » (elle s'en servit par la suite comme d'un moyen de pression *incontournable*) ;

2. le règlement de dommages-intérêts considérables pour les ventes faites pendant la guerre : 180 000 dollars aux États-Unis, 20 000 livres en Angleterre, 5 millions de francs (tout cela en 1947).

3. le versement de *royalties* de 2 % brut sur toutes les ventes de parfums Chanel dans le monde.

Sans parler d'une sorte de monopole qu'on lui reconnaissait en Suisse, son fief. Elle remportait une victoire éclatante. Pendant les négociations, Chambrun la consultait par téléphone, rue Cambon. Elle est en Suisse, disait-il aux deux frères, dont il faut souligner le *fair play*. En utilisant le climat de l'époque, ils auraient pu obtenir des conditions moins draconiennes s'ils avaient plaidé. Coco ne l'ignorait pas. Elle bluffait, et elle ramassa le tapis. Pierre Wertheimer fut jusqu'à sa mort le plus fidèle de ses soutiens. L'accord signé, Coco ramena les Chambrun chez elle pour un dîner au champagne :

— Mon cher Bunny, dit-elle à l'avocat, j'ai gagné beaucoup d'argent, vous le savez, j'en ai aussi beaucoup dépensé. Maintenant, grâce à vous, je ne serai plus obligée de travailler.

En s'allongeant dans son fauteuil, elle posa les pieds sur une petite table basse qu'elle amenait contre son divan pour ranger des papiers dans les tiroirs.

« Je ne vais plus en avoir besoin puisque je ne vais plus rien faire. (Elle poussa la table vers Josée de Chambrun) Je vous en fais cadeau. »

Personne ne peut ignorer comment naquit la formidable « légende » du Chanel N° 5. Un journaliste questionnait Marilyn Monroe :

— Comment vous habillez-vous le matin ?

— Je mets une jupe et un pull-over.
— Et l'après-midi ?
— Une autre jupe, un autre pull-over.
— Et le soir ?
— La même chose, en soie.
— Et la nuit ?
— Cinq gouttes de Chanel N° 5.

Les fabricants de pyjamas et de chemises de nuit frisèrent la ruine. En réparation, ils obtinrent de Marilyn qu'elle imprimât sa bouche sur des tissus blancs dont ils convertirent des kilomètres en tenues de lit pour femmes et pour hommes. Personne n'appréciait mieux que Coco l'impact de la formule de Marilyn. Elle en avait fourni la trame en expliquant, lors de sa première conférence de presse à New York, après la guerre, qu'il fallait se parfumer là où l'on désirait se faire embrasser. Marilyn n'aurait pas pu parler d'un autre parfum sans être suspectée d'avoir partie liée avec la maison qui le commercialisait. Elle citait Chanel comme elle aurait livré, en confidence, un secret de bonne femme pour plaire aux hommes. Un truc pour l'amour. Mettez ça où il faut et vous m'en direz des nouvelles. Une complicité entre deux séductrices, la plus jeune profitant des secrets de l'ancienne, car il est clair que son pouvoir, le N° 5 le tirait moins des essences qui le composaient que de Coco elle-même et de ce qu'elle incarnait, c'est-à-dire la formidable vérité qui allait exploser dans le rapport Kinsey : le droit au plaisir. Coco avait parfaitement conscience de la complémentarité de son parfum avec son style. Les bénéfices que les femmes pouvaient en tirer n'étaient pas réservés à quelques milliers de privilégiées : avec quelques gouttes de N° 5, une jupe et un pull, elles devenaient toutes Marilyn.

« Mes *royalties* sur les parfums, je les touche en Suisse, disait Coco, et je les laisse là-bas. Je ne vais tout de même pas ramener ça pour payer 90 % d'impôts. »

Ce qui ne l'empêcha pas de s'indigner avec véhémence lors d'une crise du franc, en 1968 :

« Des gens partent pour la Suisse avec des valises pleines de billets. On devrait leur dire : Halte-là ! C'est tout de même de notre pays qu'il s'agit. On laisse faire et, quand vous arrivez là-bas, vous entendez dire que le franc c'est zéro. On n'accepte plus votre argent français. »

Un proche estimait que les parfums rapportaient à Coco cinq millions de francs nets d'impôts par an. J'ai entendu le chiffre en 1969. Jamais satisfaite, Coco prit un avocat en Suisse, après la mort de Pierre Wertheimer, pour obtenir de nouveaux avantages. Le défenseur du fils Wertheimer chercha le contact avec elle :

— Je me contenterais volontiers du tiers de votre fortune, dit-il à Coco.

— Qui êtes-vous ? Je suis Mademoiselle Chanel, on me connaît dans le monde entier. Vous, qui vous connaît ?

Elle laissait fuser sa colère. Avait-elle bien compris ce qu'on lui disait ? Elle m'avait fait respirer un nouveau parfum.

— Comment le trouvez-vous ?

— Frais...

— Il est tenace, dit-elle. On ne fait plus de parfums comme ça.

Elle voulait l'appeler Coco et le lancer lorsque l'opérette Coco, inspirée par sa vie, serait présentée à Broadway. Mais si les Wertheimer souhaitaient s'en occuper, ce ne serait plus dans les mêmes conditions, elle exigerait du *fifty-fifty*.

« Ça ne regarde personne, ce que je fais de mon argent. Ce que j'ai fait, je veux que ça me revienne. »

Et, de but en blanc :

« Vous ne voudriez pas diriger une usine de parfums ? »

Un autre jour, devant un soyeux lyonnais aussi médusé que moi, M. Colcombet, elle me proposera la direction de la Maison Chanel. Elle parlait de plus en plus d'argent, et je l'entendis se plaindre du salaire qu'on lui versait pour son travail rue Cambon : un million par an, mais je suis nourrie, avait-elle ajouté. Ses rapports avec Jacques Wertheimer (le fils) restaient très protecteurs, pour ne pas dire un peu méprisants. Après quarante ans, disait-elle, les parfums Chanel n'ont pas atteint leur plein régime. Elle se flattait d'avoir quasiment le monopole de la récolte du jasmin à Grasse.

« Il n'y a plus que là que l'on fasse du jasmin. Mais il faut surveiller ça, la qualité a baissé. »

Et puis elle parlait des roses du Liban.

Le « come-back » : repoussée par Paris, Coco est sauvée par l'Amérique

Est-ce Marie-Hélène de Rothschild, qui fut à l'origine du retour de Coco Chanel en 1954 ? Coco le pensait. L'année précédente, Coco avait passé quelques semaines à New York, chez la mère de Marie-Hélène, Maggie Van Zwuylen, une de ses meilleures amies. (Ce fut chez elle qu'elle rédigea ses maximes, on s'en souvient.) Il se trouva que Marie-Hélène avait acheté une robe de bal pour la soirée des débutantes, un formidable raout mondain, avec une densité à peine imaginable de millions de dollars par mètre carré de surface à danser. Une horreur, décréta Coco, qui improvisa une robe taillée dans le taffetas rouge d'un rideau.

« Tout le monde m'a demandé qui l'avait faite », raconta Marie-Hélène à Coco, le lendemain.

Et Marie-Hélène, devenue la baronne Guy de Rothschild, d'ajouter : « C'est ce qui la décida à rentrer. »

Pour qui la connaît un peu, il est clair qu'après avoir obtenu son nouvel arrangement financier pour les parfums, Coco n'allait pas laisser dormir longtemps sa maison de couture, source permanente d'une publicité extraordinairement efficace pour la vente de son Chanel N° 5.

Alors qu'elle préparait sa collection pour son retour, une période très exceptionnelle prenait fin en France. Après la Libération, l'argent, compromis par l'Occupation, avait dû se cacher. On faisait des journaux, on montait des pièces, on lançait une maison d'édition, on ouvrait une maison de couture avec trois boutons de culotte. Pierre Balmain créa la sienne avec 200 000 francs avancés par sa mère. Cela correspondait, en gros, à dix mois de mon modeste salaire. Jacques Fath ne disposait pas de beaucoup plus d'argent. Époque extravagante. On était grisé par la liberté, expliquait Juliette Gréco, on s'asseyait sur le bord des trottoirs avec le sentiment de revivre. Avec mes notes de frais de journaliste, je me croyais Rothschild, pour toujours. L'existentialisme naissait. Tout Paris se retrouvait à Saint-Germain-des-Prés. Les photographes de *Life*, dirigés par mon ami Elmer Lower, rencontraient au Flore, au Montana, au Bar Vert et au Tabou tout ce qui émergeait de curieux et d'intéressant de la longue nuit de l'Occupation. Pierre Balmain se déguisait en cow-boy pour danser le boogie. Lorsque les Fath m'emmenaient à Corbeville, un somptueux château du XIIIe, leur chauffeur vietnamien emportait dans la malle arrière des assiettes, des couverts, des bouteilles et de quoi manger. Avec une voiture, on devenait un satrape. Le plus jeune ministre de la IVe République, François Mitterrand, un camarade de la Résistance, me procura une des premières Citroën sorties des usines de Javel. On mettait moins d'une demi-heure pour aller dîner à Nogent. Parfois, Cocteau nous accompagnait, perplexe, plutôt inquiet.

Il ne restait rien des mirages de la liberté quand Mademoiselle Chanel présenta sa collection le 5 février 1954. Le 5, à cause du parfum.

« C'est très simple, devait-elle me dire lors de notre première rencontre, j'ai cette Maison parce que je vends énormément de parfums aux Américains grâce à la publicité qu'elle me fait. »

Comme presque tout le monde, j'avais de la Grande Mademoiselle une opinion des plus réservées. Les malheurs de l'Occupation n'étaient pas oubliés. Coco faisait sourire mes amis couturiers, qui l'appelaient gentiment la Vieille.

« Malgré la crise qui sévit dans la Haute Couture, Mademoiselle Chanel devrait se refaire une place, prévoyait le *New York Herald Tribune*[1]. Elle estime que trois mille femmes dans le monde souhaitent s'habiller Chanel. »

On ne pouvait plus mal poser le problème ; c'était précisément la crise de la Haute Couture qui donnait sa chance à Mademoiselle Chanel. Après l'autre guerre, elle avait déboulonné les couturiers pour habiller ces quelques milliers de privilégiées dont parlait le journal américain, mais l'enjeu était cette fois infiniment plus important ; il ne s'agissait de rien de moins que de « chanelliser » le monde. Son style, en effet, convenait aux machines.

Jusqu'alors, la formidable industrie américaine du vêtement, concentrée dans la Troisième Avenue, produisait en grande série des choses qui habillaient comme les automobiles Ford roulaient. Mais l'élégance ? Le style Chanel donnait ses lettres de noblesse à la production industrielle du costume.

« Voici la Ford signée Chanel ! » avait annoncé le magazine (de luxe) *Vogue* en 1925, en commentant les Chanel présentés à l'Exposition des Arts décoratifs.

Il fallait un temps de maturation. Coco allait récolter ce qu'elle avait semé à Deauville et à Biarritz avec *the charming chemise dress*, « la charmante petite robe chemise ».

Pas à Paris, pas immédiatement à Paris. « Mademoiselle Chanel trouve la mode actuelle trop compliquée, déclarait *Le Figaro*, elle voit simple, archi-

1. Devenu l'*International Herald Tribune*.

simple, elle marche avec son temps. » « Nous sommes tous un peu émus, lisait-on dans *L'Aurore*, c'est tout un passé, presque toute une époque que l'on nous convie à voir ressusciter après quatorze ans de silence. On a un peu l'impression de pénétrer dans le palais de la Belle au bois dormant. »

Coco se tenait dans son salon, avec ses lions et ses biches, au milieu de son décor de laque et d'or, avec des fleurs qu'on apportait par brassées, avec le fantôme de Spatz aussi, embusqué derrière les paravents de Coromandel. Elle tendait l'oreille pour capter les rumeurs *d'en bas* :

— Qui est venu ?

— Tout le monde.

Les journaux citaient Mapie de Toulouse-Lautrec, Van Moppès, Boris Kochno, la comtesse Pastré, Sophie Litvak. Faute de chaise, Carmel Snow, de *Harper's Bazaar*, dictatrice de la mode aux États-Unis, dut s'asseoir à côté de Philippe de Croisset, le fils de Francis, dont Coco se disait amoureuse du temps de Balsan. Hélène Lazareff, bien entendu, était venue avec son état-major de *Elle*.

Un silence religieux s'établit lorsque le premier modèle apparut sur *la scène* : « un tailleur-paletot noir, jupe ni droite ni ample, un petit chemisier blanc » c'est la description de *L'Aurore*. On lisait ensuite : « D'autres tailleurs lui succèdent dans des lainages un peu secs, d'un noir pauvre, mariés sans joie à des imprimés tristes. Les mannequins ont la silhouette de 1930, sans seins, sans taille, sans hanches. Les robes, froncées à la ceinture, à manches ballons, décolletées en rond, n'apportent rien de l'évolution fugitive d'une époque que l'on situe mal, 1929-1930 peut-être. C'est l'atmosphère des anciennes collections qui bouleversaient Paris que chacun était venu chercher. Il n'en reste rien,

rien que des mannequins qui passent devant une salle qui ne se décide pas à applaudir. Rétrospective un peu mélancolique comme toutes les rétrospectives. »

M. Boussac, qui soutenait Dior, s'intéressait déjà à *L'Aurore*. Est-ce insinuer que la représentante du journal avait des idées préconçues ? Elle exprimait l'opinion générale.

Combat, l'ancien journal d'Albert Camus, titrait : « Chez Coco Chanel à Fouilly-les-Oies en 1930 ». Le chroniqueur de mode, très parisien, de *Combat*, Lucien François, était le neveu d'un écrivain oublié : t'Serstevens. On le ménageait, les couturiers l'installaient à la meilleure place. Un oracle, en quelque sorte, très redouté. « On n'a vu qu'un décevant reflet du passé dans lequel une présomptueuse silhouette noire s'enfonçait à grands pas. » Une exécution : « La couture a évolué en quinze ans. [...] Que dire de ces chiffons de dentelles incrustés dans des chiffons de mousseline ? Que dire de ces robes-chemises dégonflées, incrustées de petits biais contrastants que l'on ne porterait plus à Fouilly-les-Oies ? Pas même des robes de 1938 ! Des fantômes de robes de 1930. »

Dans un livre qu'il publia en 1961[1], le même chroniqueur esquissait un assez joli portrait de Coco en 1925 : «... une ravissante personne, noire, impérieuse, avec sa grâce de sauvageonne, son front et ses sourcils de gamin têtu que démentaient des yeux de biche, si bien qu'elle avait je ne sais quelle apparence de gamin insexué. » Et plus loin : « Elle avait compris que les pédérastes, en établissant leur empire dans les plus vieilles demeures où Paris perpétue les traditions de son esprit aussi triomphalement qu'au Bœuf sur le Toit, agissaient non seulement sur les mœurs mais aussi sur l'esthétique du

1. Lucien François : *Comment un nom devient une griffe*, Gallimard, 1961.

temps. » Il qualifiait son *come-back*, qu'il avait si cruellement apprécié, « d'événement historique ». Il envoya son livre à Coco avec une dédicace dithyrambique. Elle prétendait l'avoir jeté sans l'ouvrir.

Dans *Paris-Presse*, on précisait que la collection comptait cent trente modèles. *L'Aurore* effeuillait la marguerite : « Vous aimerez un peu les manteaux de pensionnaires, beaucoup les guirlandes de fleurs artificielles sur les robes de mousseline, à la folie les tailleurs du soir en broché gansé d'or et pas du tout les berthes plissées comme en 1925. »

Les journalistes anglais, venus en force, ne se montraient guère plus avisés. « Un fiasco », estimait le *Daily Express* dans son titre, « Un flop », affirmait le *Daily Mail*. On lisait dans *L'Express* que les gens n'osaient pas se regarder après la présentation tant ils souffraient pour la pauvre Chanel. Pourquoi avait-elle voulu montrer ça ?

Coco ne reçut personne. « Mademoiselle est fatiguée. »

On refoulait les curieux qui espéraient savourer sur son visage les marques de l'humiliation. On prend conscience de la cruauté de Paris lors de tels moments. Il est vrai que Coco n'avait pas fait grand-chose pour s'attirer des sympathies avant de livrer combat. Elle multipliait les déclarations provocantes. Elle revenait parce que les couturiers déshonoraient Paris et sa mode. De la même façon, un ancien champion de boxe aurait proclamé qu'il reprenait les gants après une longue absence parce qu'il ne voyait plus que des mazettes sur le ring. Elle avait annoncé une collection *atomique*, du jamais vu ; et cette rumeur courait Paris : aucun mannequin ne lui convient.

La vieille. La vieille. On ricanait. Passe encore de bâtir, mais planter à cet âge… Soixante et onze ans. Que voulait-elle faire pousser ? Rien d'autre, évidemment, que son mythe, qui restait à fignoler pour s'imposer. Supposons qu'elle eût tranquillement vécu et vieilli dans un grand hôtel suisse, avec quelques miettes des fabuleux revenus de ses parfums… Qui se souviendrait d'elle ? Comme Poiret, elle serait connue de quelques vieux Parisiens, on la citerait de temps en temps dans les journaux de mode en racontant l'histoire du sweater métamorphosé en robe d'un coup de ciseau. Mais le reste ? Tout ce qu'elle allait réussir à faire entrer dans son nom en s'entêtant, en reprenant le combat, et en parvenant à chanelliser le monde entier ?

Avait-elle conscience de ce qui se jouait pour elle ? Gagner plus d'argent, c'était sa principale motivation, peut-on penser. Elle n'aurait pas voulu entendre mes explications sur le rôle joué, dans son extraordinaire succès, par l'industrialisation. La Ford signée Chanel. Ça ne lui aurait pas convenu.

Dans son salon condamné, elle n'était pas vraiment seule. Quelques intimes la félicitaient pour les victoires à venir. Parfaitement maîtresse d'elle-même, elle trouva une première explication à l'échec cinglant qu'on lui faisait subir et dont elle avait pris conscience après le passage des dix premiers modèles.

« Mon nom ne dit plus rien aux jeunes. »

Le succès, je l'ai indiqué, allait venir des États-Unis, comme pour Vadim et pour B.B. car c'était aussi l'époque de *Et Dieu créa la femme*. Le film avait fait long feu à Paris. Il enflamma l'Amérique. Cette comparaison aussi déplairait à Coco, qui disait pis que pendre de Vadim et de Brigitte Bardot, mais elle est révélatrice : déjà il ne suffisait plus d'étonner Paris en bien ou en mal, il fallait la confirmation de New York. Le sacre américain. Le sacre de l'industrie américaine du vêtement. Les couturiers ne l'avaient pas compris.

« Ils se croient irremplaçables, ils se prennent très au sérieux », ironisait Coco.

Leur talent, voire leur génie, ne nourrissait pas les machines des confectionneurs de la Troisième Avenue comme le style Chanel, qui apportait la simplicité indispensable aux grandes productions. En six mois, les États-Unis furent chanellisés. On s'était gaussé à Paris des acheteurs qui se disputaient les modèles de la première collection de Chanel. Ils fumaient des cigares plus gros et plus coûteux que ceux de Darryl E. Zanuck. Après *Vogue* et *Harper's Bazaar*, le grandissime magazine *Life* saluait le nouveau règne de la Grande Mademoiselle en lui consacrant quatre pages :

« La femme qui se cache derrière le parfum le plus célèbre du monde a peut-être fait sa rentrée un peu tôt mais déjà elle influence tout. À soixante et onze ans, elle apporte mieux qu'une mode, une révolution. »

Ce jugement, dans *Life*, paraissait après la troisième collection, donc un an à peine après le retour, le laborieux *come-back* de Coco. Elle avait gagné par K.O., non sans trembler, non sans avoir entrevu la défaite.

« Je suis logique, je fais des choses logiques. Il faut habiller les gens. On leur propose des singeries, avec lesquelles on ne peut ni marcher ni courir. Les Américaines les ont refusées avant les Françaises, parce qu'elles sont plus pratiques. Voilà pourquoi l'Amérique a tout de suite marché pour Chanel. La vie américaine n'est pas amusante mais on est pratique. On habite hors des villes, on part à la campagne tous les soirs. C'est une autre vie, on marche, on court. Les Américaines aiment changer. Elles sont propres, bien lavées. C'est ce qui donne son aspect prospère à New York, une ville d'une saleté repoussante. Tout existe pour les femmes, on les protège. Pour moi, le luxe, c'est d'avoir des vêtements bien faits. Il faut que l'on puisse porter un costume pendant cinq ans. C'est mon rêve, porter des choses usées. En Amérique on jette, rien n'est solide. On ne lave pas, on ne fait pas nettoyer. J'ai donné une robe à nettoyer, il est resté un bouton. C'est ça, l'Amérique, le contraire du luxe, le *cheap*, l'horreur pour moi. »

Ce fut pourtant cette Amérique du *cheap* qui imposa son style.

Pierre Wertheimer finançait son retour rue Cambon. Coco lui imputa le mauvais accueil de sa collection ; il n'avait pas fait tout ce qu'il fallait pour préparer le terrain, il n'avait pas fourni à Coco les moyens indispensables qu'elle demandait. En vérité, elle avait un autre fer au feu. Avant de se lancer, elle avait confié à René de Chambrun une lettre pour son amie Carmel Snow[1] ; c'était à la fin de septembre 1953, à peu près six mois avant la « réouverture » :

Ma chère Carmel,

Pendant l'été, je me suis convaincue qu'il serait amusant de me remettre à mon travail qui est toute ma vie. Je vous ai certainement déjà dit qu'un jour ou l'autre je me mettrais à la création d'un nouveau style, adapté à un nouveau mode de vie et que j'attendais le moment opportun. J'ai le sentiment que ce moment est arrivé.

L'atmosphère si paradoxale du Paris d'aujourd'hui, où de plus en plus de femmes assistent aux collections sans avoir le moyen d'acheter des robes, m'amène à faire quelque chose d'entièrement différent.

1. Carmel Snow faisait la pluie et le beau temps dans la presse féminine des États-Unis.

L'un de mes principaux objectifs est naturellement la vente en gros par l'intermédiaire d'un fabricant aux États-Unis, sur une base de rémunération par royalties. *Je n'en pense pas moins que ce que je ferai suscitera un énorme appel dans le monde entier.*
Ma première collection sera prête le 1er novembre. Je crois qu'il ne serait pas sage d'en faire davantage avant d'avoir reçu une offre du top wholesale manufacturer *[« l'industriel américain le mieux placé, le plus important »] auquel vous pensez. Pour lui, le mieux serait probablement de venir à Paris. Naturellement, rien ne me serait plus agréable que de vous avoir ici en même temps que lui. Pour le moment je n'envisage pas de présenter moi-même la collection en Amérique, mais cela pourrait se faire plus tard.*

As ever
Gabrielle Chanel

Ce projet, grâce à quelques *fuites* astucieuses, alimenta la rumeur selon laquelle Mademoiselle Chanel lancerait une confection *« atomique »* pour sa rentrée. C'est ce qui se passa, en fait, grâce à la copie industrielle de ses modèles. Le projet eut une autre conséquence : il inquiéta Pierre Wertheimer. L'accord qu'elle avait conclu avec lui et avec son frère, pour avantageux qu'il fût, ne donnait pas satisfaction à Coco. En traitant avec un grand confectionneur américain, elle pourrait éventuellement lancer sa série *Mademoiselle Chanel* ; l'accord lui en reconnaissait le droit. On devine ce qu'elle tira des inquiétudes de ses sponsors. Coco obtint de Pierre Wertheimer que tous les frais de la Maison de Couture soient réglés par les Parfums, les domestiques payés, ainsi que les notes d'hôtel de Coco, et ses impôts remboursés – ceux qu'elle acquittait en France ; des conditions dont aucun PDG n'a bénéficié. Elle négocia aussi très astucieusement la liberté qu'on lui avait laissée de relancer la série *Mademoiselle*, avec un dédit énorme à la clef. Contre des dollars, elle renonça à son fief helvétique, acceptant qu'il soit exploité comme les autres marchés ; jusque-là ses parfums étaient vendus en Suisse à son profit exclusif.

Toutes ces satisfactions d'argent arrachées, allait-elle enfin accorder à Pierre Wertheimer ce qu'il désirait, un baiser de réconciliation officielle, devant les photographes ? Il rêvait de la voir sur son yacht, pour une croisière. Il venait de gagner le Derby, avec un cheval qui s'appelait Vimy. Le lendemain de ce triomphe, il avait rendez-vous chez Coco, flanquée de René de Chambrun. Il grimpa l'escalier un peu rapidement et, chez elle, s'effondra dans un fauteuil, hors d'haleine.

— Vous n'avez pas bonne mine, Pierre, dit-elle.

Il se releva, il ouvrait les bras :

— Vous ne m'embrassez pas ?

— Pourquoi donc ?

— Vous ne savez pas que j'ai gagné le Derby ?

— Et vous ne m'avez pas téléphoné !

Elle avait fait disparaître les journaux qui publiaient les photos de la gloire de Pierre Wertheimer.

Sanctifiée par ses triomphes, retranchée derrière ses revenus, Coco devient infaillible

DANS LE premier numéro de *Marie-Claire* sorti en octobre 1954, Coco Chanel n'était pas particulièrement gâtée par nos dames, qui la trouvaient vieux jeu. Elles en pinçaient pour un jeune homme, aux airs de fille, qui avait succédé à Christian Dior, Yves Saint-Laurent.

Jean Prouvost avait une tendresse touchante pour *Marie-Claire*. Il n'oubliait pas le succès obtenu peu avant la guerre par son hebdomadaire féminin « à l'américaine ». On le lui avait volé à la Libération. Des affiches couvraient les murs de Paris : *Elle* c'était *Marie-Claire*, *Marie-Claire* c'était *Elle*.

Je ne me trouvais pas à ma place à *Marie-Claire*, mais Jean Prouvost ne jurait alors que par moi. Le relancement de *Paris-Match* s'était fait si laborieusement (et douloureusement, pour ses finances) que le Patron avait songé à lâcher la presse. Si *Paris-Match* finit par s'imposer, on le devait à l'obstination de Philippe Boegner. Le succès de *Marie-Claire* reste sans précédent. Deux jours après la mise en vente du premier numéro, les 400 000 exemplaires sont épuisés. Le troisième numéro atteint 800 000, c'est insuffisant, et on ne peut pas tirer le quatrième, les machines ne suivent pas (elles imprimaient également *Paris-Match*).

Ce triomphe revenait entièrement au Patron, c'est dit sans la moindre flagornerie, *Elle* paraissait chaque semaine avec une soixantaine de pages, dont quatre ou huit en couleurs, et se vendait 50 francs. On prévoyait que *Marie-Claire* sortirait une fois par mois, avec une centaine de pages, dont seize en couleurs, tout cela pour 100 francs. Le Patron mit son nouveau journal en vente avec 140 pages, dont quarante en quadrichromie ; cela ne s'était jamais vu, un luxe quasiment américain qui nous alignait sur *Ladies'Home journal*. Et pour 70 francs ! Les gens qui avaient dépouillé Prouvost comme au coin du bois crièrent au *dumping*. Il ne perdait pas d'argent, il ramassait des millions, sans avoir investi un sou, tout était payé d'avance par les publicitaires, auxquels il imposait des tarifs vertigineux, du jamais vu. C'est à cette époque qu'il eut un de ses mots les plus terribles. La publicité de ses journaux était dirigée par l'un de ses amis d'enfance ; ils avaient fréquenté le même lycée.

« Nous vieillissons, mon pauvre, lui dit le Patron, il faut que tu t'en ailles. »

Avec la directrice littéraire, la romancière Christine de Rivoyre, transfuge du *Monde*, nous attirions à *Marie-Claire* les écrivains les plus brillants, qui se laissaient séduire par les chèques de Prouvost. Le Patron gagnait parce qu'il payait un bon prix pour ce qu'il y avait de mieux. L'argent rattrape toujours les idées, estimait-il. Notre collaboration était souvent orageuse, avec des difficultés suscitées, entretenues, exacerbées par l'entourage, les courtisans qui vivent de la faveur du roi, et qui utilisent ses pouvoirs absolus dès qu'il quitte son trône.

Je ne m'occupais que peu de la mode. Nous avions nos dames, fascinantes, innocentes, perverses, mielleuses, impitoyables, grandes dans leur Espagne où l'on disait Christian pour Dior, Jacques pour Fath et Pierre pour Balmain. *Ce cher Pierre a refait sa jolie Madame*. Quand on les voyait réunies pour disséquer les collections, on ne pouvait que s'interroger sur la Mode, et pourtant elles la servaient, vestales nerveuses et parfumées, chastes à leur corps défendant. Elles étaient encore cuirassées, acharnées à plaire ; elles ne comptaient qu'en calories. Pouvait-on les enterrer vives comme les vestales quand elles tombaient en disgrâce ? Prouvost, quelles que fussent ses opinions personnelles, s'en tenait, pour la Mode, aux décrets d'Hervé Mille, son bras droit.

« Jean Prouvost passe tout à Hervé », sifflait Coco.

Elle n'aimait pas tellement le Patron.

« Il est vieux, vous avez vu les taches sur ses mains ? »

Il avait deux ans de moins qu'elle. Lorsque son fils mourut, elle lui envoya une lettre qui le bouleversa. Ils avaient au moins un point commun : l'argent. L'exigence d'en avoir toujours plus, avec des motivations différentes. Patron de droit divin, Jean Prouvost se sentait *religieusement* justifié par les profits qu'il réalisait. Un bilan favorable : Dieu bénissait ses entreprises, c'était dans son esprit. Une seule crainte le contrôlait, comme autrefois les rois : les comptes à rendre, un jour plus ou moins éloigné, à Dieu le Père. Coco ignorait cette peur-là, l'argent lui permettait de dominer les autres. Avec de l'argent, elle ne dépendait de personne, elle ne souffrirait pas, ou moins que les autres. Mais si les ressorts étaient différents, le but chez Coco et chez Prouvost était le même : gagner toujours plus. L'un comme l'autre, ils dépensaient peu pour eux-mêmes.

« On ne peut pas gagner de l'argent et le dépenser, me disait le Patron. On n'a pas le temps. »

« Que fait Jean Prouvost de son argent ? » sifflait Coco.

Elle n'admettait pas qu'on lui demandât comment elle utilisait le sien. Prouvost, de son côté, jugeait que la fortune de Coco n'était pas tout à fait *normale*. Édifiée sur quoi ? La sienne venait de loin, des générations avaient ramassé du miel, cela donnait des usines, des propriétés familiales. Pas de famille pour Coco, elle avait tout tiré d'elle-même. Un phénomène miraculeux pour lui, qui s'émerveillait parce qu'un écrivain ou un journaliste n'avaient besoin que d'une plume et d'un encrier pour « faire de l'argent ».

Pourquoi Hervé Mille m'emmena-t-il chez Coco Chanel ? De collection en collection, de triomphe en triomphe, Coco devenait plus exigeante. À cette époque, qui n'est pas si lointaine, on offrait tous les ans au gros Agha Khan son poids de diamants et autres pierres précieuses. On ne l'a jamais entendu se plaindre d'une erreur de pesée de quelques carats. Avec Coco, c'était ça. Ensevelie sous les louanges, elle ne relevait qu'une misérable critique ; une formule comme l'*éternel tailleur Chanel* la mettait hors d'elle. Elle qui se flattait de ne rien demander à personne, lorsqu'on lui donnait tout, s'indignait que ce fût ridiculement peu.

Elle harcelait Hervé pour que *Marie-Claire* présentât ses modèles « à part ». Pouvait-on mélanger torchons et serviettes ? Nous le faisions pour illustrer les analyses de nos spécialistes : chez Dior, les épaules sont rondes, elles sont droites chez Cardin, chez Chanel elles sont comme toujours. Pour Coco, ce *méli-mélo* était monstrueux, on l'écorchait vive, nos lectrices n'avaient pas la moindre envie de savoir comment MM. les couturiers accommodaient leur ragoût, elles voulaient voir les modèles Chanel, bien photographiés, de manière à pouvoir les copier. Pendant assez longtemps, elle eut parfaitement raison. Après avoir assisté avec Hervé Mille à un défilé pour les acheteurs, un samedi matin, je l'appuyais pour convaincre nos dames de réserver un traitement spécial au Chanel. Hervé apporta à Coco les premiers tirages des dix pages consacrées à sa collection. Satisfaite ? Pas du tout :

« Vos photos, Hervé… Pourquoi cette pauvre fille écarte-t-elle les jambes ? Qui lui a mis ce nœud dans les cheveux ? Avez-vous déjà vu une femme gantée gratter le talon de sa chaussure dans la rue ? Pourquoi ne prenez-vous pas mes mannequins ? Elles sont aussi jolies que vos filles. Ces femmes sont folles. Elles n'ont aucun goût. Il en faut beaucoup pour faire la mode dans un magazine féminin. »

Un flot de mots. Hervé Mille était parti tout de suite après le dîner.

— Je suis fatigué, Coco ; je pense que c'est vous, avec vos critiques de *Marie-Claire*…

— Mon cher Hervé, si nous ne pouvons plus nous dire ce que nous pensons.

Leurs rapports n'étaient pas simples.

L'éternel tailleur Chanel. Elle ne pouvait pas avaler ça. Je l'avais retrouvée au salon, où elle travaillait sur les modèles de sa nouvelle collection (à présenter dans quelques jours, c'était le 24 janvier 1970).

— Je vais en terminer avec les tailleurs. Les robes, ça ira tout seul, on se débrouille avec des épingles, ça va très vite. Mais les tailleurs, quelle construction. Je pourrais vous en montrer un que j'ai recommencé plus de trente fois. Une cliente du Nord m'a rapporté un tailleur coupé avant la guerre pour l'une de ses tantes dont elle vient d'hériter. Ça lui va. Moi, j'ai deux costumes. Je suis toujours bien habillée.

On lui présentait des modèles. Elle faisait rajouter du tissu

« Ça fait pauvre, ça fait boutique. »

Elle défaisait tout, elle rallongeait un peu, puis raccourcissait, pas trop. On l'approuvait aussitôt :

« C'est mieux, Mademoiselle, beaucoup mieux. »

Le modèle reparti, avec celui ou celle qui le *défendait*, elle râlait :

« *Ils* ne changeraient jamais rien. Si on les laissait faire, on aurait les mêmes choses à chaque collection. Et mal fichues, parce qu'ils ne savent rien faire. Quelle catastrophe si on ne reprenait pas tout. Je suis venue à onze heures, je me suis arrêtée pour manger quelque chose. Il faut avoir l'œil à tout. »

Je regardais ses mains ravinées. Elle s'était piquée dans une articulation.

« Sur l'os, dit-elle en suçant son doigt. Ça me fait mal. Je me pique souvent mais je ne sens rien. Ça m'est égal, tant que l'intérieur restera vivant, je pourrai continuer. Pourquoi est-ce que je fais toujours ce sale travail ? J'ai envie de tout plaquer souvent. Les Français s'en moqueraient. Les Américains comprendraient que la fermeture de la Maison Chanel serait une grande perte. Je travaille de plus en plus. Souvent, je me trouve ridicule d'être aussi exigeante. On défend une fois de plus le prestige du pays. »

C'était un an avant sa mort. Assis derrière elle, François[1] lui présentait une boîte de cachets de vitamines.

« Il faut que j'avale ça, sinon la nuit je me réveille avec des crampes et il faut que je sorte du lit à toute vitesse. »

J'ai dégagé de mes notes quelques-unes des pensées ou maximes qui lui venaient naturellement aux lèvres quand elle parlait de la mode :

« Je suis contre une mode qui ne dure pas. C'est mon côté masculin. Je ne peux envisager que l'on jette ses vêtements parce que c'est le printemps.

Je n'aime que les vieux vêtements. Je ne sors jamais avec une robe neuve, j'ai trop peur que quelque chose craque.

1. François Mironet, son ancien maître d'hôtel. On le retrouvera.

Les vieux vêtements sont de vieux amis. On les garde. Je les rafistole. J'ajoute quelque chose de bleu ou de rouge. Ça me réconforte de mettre un petit bout de soie à l'intérieur. J'aime les vêtements comme les livres, pour les toucher, pour les tripoter. Les femmes veulent changer, elles se trompent. Moi je suis pour le bonheur. Le bonheur, ce n'est pas de changer.

L'élégance ne consiste pas à mettre une robe neuve. On est élégant parce qu'on est élégant, la robe neuve n'y est pour rien. On peut être élégant avec une jupe et un tricot. Ce serait malheureux s'il fallait s'habiller chez Chanel pour être élégant. Certaines femmes ne sont élégantes avec rien.

Autrefois, chaque maison avait son style. J'ai fait le mien, je ne peux pas en sortir. Je ne peux pas me mettre sur le dos quelque chose que je ne fabriquerais pas. Et je ne fabriquerais rien que je ne puisse me mettre sur le dos. Je me pose toujours la même question : est-ce que je pourrais porter ça ? Je n'ai même plus à me le demander, c'est devenu un instinct.

Il n'y a plus de mode. On la faisait pour quelques centaines de personnes. Je fais un style pour le monde entier. On voit dans les magasins : "style Chanel". On ne voit rien de semblable pour les autres. Je suis l'esclave de mon style. Un style ne se démode pas. Chanel ne se démode pas.

Je regarde les costumes qui s'en vont en pensant : celles qui les achètent se plaindraient-elles du petit défaut que je suis seule à voir ? Sûrement pas. Pourtant je défais et je refais pour faire mieux. Je fignole mon travail, c'est une maladie. Je fais un métier que personne ne connaît plus.

J'ai toujours tout fait avec passion. Pourquoi me voit-on acharnée à mettre l'épaule à sa place ? Les femmes ont des épaules bien rondes qui avancent un peu, cela m'attendrit et je dis : il ne faut pas cacher ça. On vient vous dire : l'épaule est sur le dos ! Je n'ai pas vu de femme avec l'épaule sur le dos. Il faut que l'on puisse bouger sans que le costume remonte. Il faut pouvoir se baisser. Il faut pouvoir jouer au golf. Il faut même pouvoir monter à cheval dans le costume que l'on porte. Évidemment, ce que je dis là, c'est du chinois pour les gens qui font la couture maintenant. Ils ne pensent qu'à étonner. Qui ?

On ne se passionne pas pour la mode, mais pour ceux qui la font. On confond toujours tout.

On s'accoutume à la laideur, jamais à la négligence.

La mode, c'est de l'architecture, une question de proportions.

Qu'est-ce que ça veut dire, une mode jeune ? Que l'on s'habille en petite fille ? Rien ne vieillit davantage. Une femme de quatre-vingts ans ne doit pas porter une robe qui ne va pas à une fille de vingt ans.

La nouveauté ! On ne peut pas faire tout le temps de la nouveauté. Je veux faire classique. J'ai un sac que je vends régulièrement. On me pousse à en lancer un autre. Pourquoi ? J'ai le même depuis vingt ans, je le connais, je sais où placer mon argent. Je me trouve très limitée dans ce que je fais, donc il faut que ce soit soigné, que l'étoffe soit belle. Il faut que je montre un peu de goût et que je ne change pas trop, sinon on dirait que je ne fais plus mes robes. Quand j'ai fait un tissu *scabreux*, je le laisse mûrir dans un coin sans le regarder. J'ai fait des tweeds très audacieux, sans me tromper, parce que j'évitais de les voir ; après quelque temps, je les découvrais. Peu de gens ont le sens des couleurs.

Certaines femmes veulent épater les hommes en s'habillant de façon excentrique. Elles les effraient. Les hommes aiment qu'on se retourne sur leur femme parce qu'elle est jolie, mais quand elle est excentrique, ils sont embarrassés. Je ne sortirais pas non plus avec un homme en smoking vert. Les hommes qui veulent se faire remarquer par le costume sont des crétins. Les femmes peuvent supporter presque tous les ridicules ; je parle de quelques femmes, et pas dans la rue. Un homme ridicule est foutu, à moins qu'il n'ait du génie.

L'inverse du luxe n'est pas la pauvreté.

Les robes courtes se démodent moins facilement que les robes longues. Rien ne se démode plus rapidement qu'une robe longue très décolletée. Les femmes croient améliorer des jambes qu'elles ne trouvent pas très jolies avec une jupe plus longue ; ça n'améliore rien. Rien n'est laid du moment que c'est vivant. Des femmes me disent : « J'ai des jambes un peu fortes. » Je demande : « Elles vous portent ? C'est l'essentiel, n'y pensez plus, ce n'est pas cela qui rend heureux. » Une femme m'a demandé : « Que dois-je faire pour maigrir ? » « Êtes-vous en bonne santé ? » « Oui. » « Comment vont les affaires de votre mari ? » « Bien. » « Alors, pourquoi voulez-vous maigrir ? » Les gens ne savent pas vivre, on ne le leur apprend pas.

En matière de mode aussi, il n'y a que les imbéciles qui ne changent pas d'avis. Pour être irremplaçable, il faut être différente. »

« La couture est un commerce, disait-elle, ce n'est pas un art. Nous ne travaillons pas dans le génie, nous sommes des fournisseurs. Nous n'accrochons pas nos robes sur des cimaises pour les exposer, nous les vendons. Tant mieux si on copie les miennes. Les idées naissent pour se répandre. »

Il lui arrivait pourtant de se plaindre des magazines féminins qui proposaient aux lectrices des Chanel à faire elles-mêmes.

« Je n'ai jamais fait saisir personne sous prétexte de copie, mais je n'ai jamais dit que j'aime être copiée. »

Sur un marché, un dimanche matin, sa collaboratrice Lilou Grumbach entendit un camelot proposer des Chanel à 50 francs.

« Ça s'enlevait comme des légumes frais, disait Coco, enchantée. D'ailleurs, on vendait des légumes à côté. »

Lilou en avait rapporté un, en grosse toile blanche, avec un galon de rafia tressé, ce qui donna à Coco l'idée de faire tisser du rafia.

« La rue m'intéresse plus que les salons », affirmait-elle.

À l'époque de son *come-back*, les couturiers entretenaient avec une extrême attention le mythe de la copie. À les entendre, des brigades d'espions s'agitaient autour des collections pour voler leurs idées. Quelques malins réussissaient encore, il faut en convenir, à faire de l'argent avec un col de Fath, un poignet de Balmain ou une longueur de Dior, imités avant que les clientes soient servies, mais qu'est-ce que cela représentait ?

Les espions de la mode ont disparu ; on n'allait pas les entretenir pour prouver que la Mode continue d'exister.

Mademoiselle Chanel avait adhéré avant la guerre à la Chambre syndicale de la Haute Couture (pour la protection des arts saisonniers, ajoutait Coco en riant) à la demande de sa présidente Mme Vionnet. La démarche de Mme Vionnet l'avait touchée ; elle n'était pas *persona grata* dans les milieux de la Couture.

« Personne ne me prenait au sérieux, et je le comprends. Je ne savais rien. Il a fallu que j'apprenne tout. »

Elle démissionna de la Chambre syndicale en 1957. On l'asticotait parce qu'elle ne respectait pas les délais imposés pour donner des modèles à photographier. La rupture accentuait la distance qu'elle mettait entre Chanel et... les autres. Quand il lui arrivait de louer un couturier pour une parcelle de talent ou d'intelligence, c'était pour relever qu'il avait copié sur un point ou un autre ce qu'elle faisait.

« Je me prive peut-être d'un grand plaisir en ne fréquentant pas les couturiers, me dit-elle. Je pourrais sans doute leur donner de bons conseils. J'aime beaucoup apprendre des choses aux autres. »

La mode française existait quand on la copiait, disait Coco. Quelques personnes la faisaient. On la copiait dans des maisons de copie.

« Un beau jour, pour avoir la Légion d'honneur, un monsieur a décidé de changer tout cela, et on a fondé une chambre syndicale pour défendre les intérêts des misérables couturiers. Certains faisaient bien leur métier et gagnaient de l'argent, même s'ils ne faisaient pas fortune. »

Avec le recul du temps, voici que je suis frappé par l'allusion à la Légion d'honneur. Coco avait-elle soif d'honneurs ? Avant la guerre, Paul Reynaud, Premier ministre, voulait lui donner la croix. La grande couturière Mme Paquin la portait déjà. Pouvait-on nommer Coco commandeur d'emblée ? Rien ne se fit. De Gaulle ne l'invita jamais à l'Élysée. Mme de Gaulle ne portait pas ses tailleurs ; elle l'eût habillée avec bonheur. Lors de la messe dite à Notre-Dame pour les obsèques du Général, Mme Pompidou était en Chanel. Coco ne se lassait pas de revoir la messe à Notre-Dame. Jacqueline Kennedy avait du sang sur son tailleur Chanel, après l'assassinat du Président à Dallas. Elle le savait, Coco, qu'elle était *number one*, n'empêche qu'elle trouvait agréable qu'on le lui répète. Des couturières écrivaient pour se faire inviter aux collections. Elle reçut des bonnes sœurs, et demanda aux mannequins d'esquisser une petite révérence devant les cornettes.

« Je pensais aux petites qui sortiront de leur école en Chanel », murmura Coco.

Un couturier venait de lui envoyer son nouveau parfum ; elle montrait le paquet défait, sur sa table basse, devant le divan :

« À quoi est-ce que cela peut correspondre, chez ce monsieur, de m'offrir, dans une espèce de boîte entourée de rubans affreux, un flacon contenant quelque chose qui dégage une odeur pestilentielle dont on ne peut plus se débarrasser ? Quand on est parfumée avec ça, on vous repère de loin, une odeur de fruits pourris qui donne mal à la tête. Qu'est-ce que je peux répondre à ce monsieur ? Si j'envoie un flacon de parfum Chanel, ça veut dire : "Mon cher, sentez donc ça et vous découvrirez ce qu'est un vrai parfum." Je ne peux pas faire ça, n'est-ce pas ? Je laisse tomber. Ah ! je n'ai pas trouvé la bonne manière avec ces gens-là. »

Elle ne cherchait pas à leur être agréable. On avait parfois le sentiment qu'elle éprouvait de la tendresse pour Balenciaga.

« Il m'a téléphoné plusieurs fois depuis hier. S'il rappelle, ce sera sûrement pour me demander en mariage. »

J'avais commis l'imprudence de demander son âge.

« Ce n'est pas la peine de calculer, mon cher. »

Elle ne situait pas les nouveaux couturiers, nés de la Libération, sur le même plan que ceux de ses débuts, dont elle parlait parfois avec une pointe d'amitié, voire d'émotion, comme un ancien combattant évoque ses camarades de régiment ou de tranchée. On ne les recevait pas dans le monde. Elle avait brisé ce tabou, grâce à elle les couturiers devenaient fréquentables, « invitables ».

Tout le monde peut être remplacé, sauf Mademoiselle Chanel

« UN MANNEQUIN, c'est comme une montre, disait Coco. La montre donne l'heure. Le mannequin doit *donner* la robe qu'on lui met sur le dos. »

C'était intéressant de l'entendre parler de ses *filles* ; elle se retrouvait en quelque sorte devant elle-même.

« Elles sont belles, c'est pourquoi elles peuvent faire ce métier. Si elles étaient intelligentes, elles ne le feraient plus. »

Pendant quelques années, autour de 1960, sa cabine sortait du Gotha : la comtesse d'Arcangues (Mimi), une altesse sérénissime, Odile de Croy, des princesses...

« Elles s'ennuient, expliquait Coco. Leurs mères et grand-mères avaient une autre occupation : l'amour. Les hommes de leur milieu ne travaillaient pas, ils étaient toujours disponibles pour l'amour comme les héros de Bernstein. À qui pourrait-on inspirer aujourd'hui des passions aussi absorbantes ? Ces filles se téléphonent pour se dire des bêtises : si on entrait chez Chanel, on retrouverait des copines. Et on serait habillées ! Elles viennent pour une collection, elles restent ensuite et l'amour n'est toujours pas là. »

Elle s'intéressait aux aventures sentimentales de ses mannequins. Une belle Espagnole s'enlisait dans une liaison avec un homme marié (passe encore) et sans fortune (alors ça ! elle est folle !).

— Que ferais-tu, s'il t'abandonnait ?

— J'entrerais au couvent, mademoiselle.

Le couvent à vingt ans, quand on est belle… Quelle idiote, elle ne savait pas utiliser ses atouts. Le bonheur ou le couvent, quelle confusion. Coco conseillait à ses filles de prendre des amants riches, une façon de se déculpabiliser : toutes les jolies filles ont toujours fait et feront toujours ce que j'ai fait. Oui, mais moi… Elle avait fait autre chose, elle avait fait beaucoup plus.

« Je crois que mes mannequins ont un petit fond d'admiration pour moi. Elles me demandent mes vieux costumes, et plus ils sont usés, plus elles paraissent flattées d'en hériter. Marie-Hélène m'a demandé dix fois déjà celui que je porte. "Je ne peux pas te le donner, je n'en ai pas d'autre." »

Marie-Hélène Arnaud fut pendant plusieurs années la vedette de Chanel. On racontait que Coco l'adorait. Elle m'en parla, bouleversée par des potins qui circulaient :

« Vous imaginez cela ? Moi, une vieille gousse ? Où les gens vont-ils chercher cela ? »

Une de ses collaboratrices, affirmait-elle, s'était jetée sur elle, persuadée qu'elle avait (toujours) du goût pour les femmes. *Finita, la commedia*, ni femmes, ni hommes.

« Si je plaisais à un vieux monsieur. Pouah ! Et s'il était jeune ? Je m'enfuirais, j'aurais trop peur. »

Que se passait-il dans sa tête ? Elle éprouvait des exigences de présence. Elle m'a reproché plus d'une fois de la « laisser tomber ». Hervé Mille, très proche d'elle, me confia en souriant qu'elle l'avait encore demandé en mariage peu avant sa mort. Cela s'était fait par l'intermédiaire d'une amie. Hervé, en souriant, avait parlé de leur différence d'âge, et plus encore de la fortune de Coco qui les séparait. Quel imbécile ! avait râlé Coco quand on lui avait rapporté sa réaction (elle utilisait un qualificatif plus féroce), il trouve que je suis trop vieille et trop riche pour lui !

« Les hommes peuvent vivre seuls, disait-elle, pas les femmes. Les femmes n'ont pas envie de se sentir libres. Je voulais être indépendante, pas seule. La vie avec un compagnon, c'est tout de même autre chose que la solitude. C'est effrayant d'être seule. »

Un compagnon. Cela datait sans doute de la guerre. Plus qu'autre chose, Spatz avait été un compagnon, et c'était l'explication du soutien matériel qu'elle continuait à lui accorder. Il semble qu'avec Westminster ses exigences sensuelles se soient apaisées. La vie au grand air, les saines fatigues… À soixante-seize ans, quand je l'ai connue, je l'aurais trouvée monstrueuse si elle avait manifesté des envies charnelles. Ce qui n'empêchait pas des amitiés amoureuses, comme celle qu'elle nourrissait, je pense, pour la belle Marie-Hélène Arnaud. La présence d'une très belle fille, ou celle d'un homme agréable, la rassurait, elle demeurait vivante.

« On était en train de démolir Marie-Hélène quand je me suis occupée d'elle. On lui faisait faire n'importe quoi. Dans les magazines, on vous use et on vous recrache. J'ai été un bon génie pour elle. Je me suis un peu attachée à elle. Je lui ai appris beaucoup de choses. Ça me faisait de la peine quand je la voyais partir tard le soir pour rentrer chez ses parents à Neuilly. Je lui ai dit de s'installer dans un petit hôtel, rue Cambon. Ça me déplaisait aussi de savoir qu'elle mangeait dans un petit restaurant, toute seule. Je lui ai dit de venir manger chez moi, qui suis souvent seule. Mes amis seront contents de te connaître, lui ai-je dit. J'aime instruire les gens, j'aime expliquer. Marie-Hélène m'écoutait avec intérêt, elle éprouvait un peu d'affection pour moi, je crois. »

Le père de Marie-Hélène avait été nommé directeur de Chanel, promotion qui renforçait une rumeur que les Wertheimer ne démentaient pas : en Marie-Hélène, Coco voit son héritière. Il était normal que le problème de la succession préoccupât les Wertheimer. Coco allait avoir quatre-vingts ans.

« Marie-Hélène en a assez d'être mannequin, remarqua Coco, un soir. Je la comprends. Mais elle a peut-être tort. »

Tout était dit en trois phrases, d'autant plus explicitement que Coco, avec un rictus, avait rapporté un propos de M. Arnaud père qu'elle ne digérait pas :

— Ma fille vaut mieux que ce qu'elle fait.

— Moi, qui suis Mademoiselle Chanel, avait aussitôt rétorqué Coco, quand je vois de la lumière dans les cabinets, j'entre pour éteindre, et pour vérifier si l'on a bien tiré la chasse d'eau. Je ne me sens pas déshonorée pour autant.

En vérité, que s'était-il passé pour que se refroidisse presque du jour au lendemain la passion amicale que Coco éprouvait pour Marie-Hélène ? À Louveciennes, chez les Lazareff, Coco avait rencontré Sophie Litvak, un ancien mannequin-vedette qui avait su s'en sortir très convenablement en épousant un tycoon d'Hollywood. Marie-Hélène l'avait invitée :

« Viens me voir chez moi. »

Chez moi ? Où ? Rue Cambon ! Chez Chanel ! Chez moi ! Le cœur de Coco s'était arrêté. Qu'est-ce que je deviens, moi ? On me jette hors de ma maison ? Je suis écartée ?

Pas question de se laisser faire. N'est-ce pas curieux ? Une invitation : Viens me voir chez moi, et c'est fini. Pourtant, Coco n'avait rien négligé pour que Marie-Hélène se sente chez elle, rue Cambon. Pour se convaincre qu'elle n'était pas seule au monde, elle exigeait que l'on dépende d'elle.

« J'ai compris que ça *débringuebalait* chez Marie-Hélène. Puisqu'elle ne veut plus être mannequin, ce sera une autre. On peut toujours remplacer tout le monde. »

Sauf, bien entendu, Mademoiselle Chanel.

Elle avait très vite trouvé une remplaçante pour Marie-Hélène.

« Une petite de dix-sept ans, et cela se voit, c'est une pilule de vitamines. Elle est tellement contente de travailler chez Chanel qu'elle sourit tout le temps, ça fait rire les gens. Dans un an, elle éclipsera les autres. On a trop encensé Marie-Hélène, pour me faire plaisir à moi. La petite ne savait pas marcher, elle tortillait son derrière, elle creusait le ventre. Je lui ai dit : marchez comme si vous dansiez, vous ne rentrez pas le ventre quand vous dansez. Je lui apprendrai à marcher. Je l'ai déjà transformée. Elle fait les gestes qu'il faut. C'est moi qui leur enseigne tout ça, à ces filles. Je leur dis : soyez gaies, surtout. Les Américaines sont merveilleuses. J'ai entendu à New York une fille annoncer une épidémie de poliomyélite en souriant de toutes ses dents. Il y a de bons dentistes là-bas. »

Elle restait debout sans se fatiguer pendant des heures.

« Je me fatiguerais comme tout le monde si je me tenais sur mes jambes. Je prends appui sur le bassin, ce n'est pas plus malin que ça. Je l'apprendrai à la petite. Puisque je le fais, elle pourra le faire. »

Les mannequins portaient de grands sacs accrochés à l'épaule :

« J'ai voulu savoir ce qu'elles mettent dedans. Rien ! En plus, elles accrochent maintenant un appareil de photos autour de leur cou. L'une m'a annoncé triomphalement qu'elle allait faire sa philo. Je lui ai dit que je la croirais si elle m'avait dit : Je vais faire ma philosophie. Ça me fait bien rire, moi qui me demande comment j'ai appris à lire et à écrire. »

Après la période « sang bleu », Coco avait mis sa cabine à l'heure allemande :

« J'aime beaucoup ces grandes Allemandes parce qu'elles marchent naturellement. Elles lancent d'abord leur cuisse en avant, comme les fauves ; le mollet et le pied suivent. Les Françaises et les Anglaises font l'inverse, elles expédient d'abord le pied, c'est disgracieux. »

Elle grossissait ses conflits avec les mannequins, ou certaines résistances du personnel :

« Tout a quand même bien marché, parce que j'ai travaillé deux fois plus. Je me disais : s'il y a des choses qui préoccupent ces gens, ne t'en mêle pas, tu as ta collection à terminer. Tu ne te laisseras pas emporter par la colère (après quarante ans, une femme ne doit plus se mettre en colère), tu auras de la patience. Je suis une abeille, cela fait partie de mon signe, le Lion, le soleil. Les femmes de ce signe sont travailleuses, courageuses, fidèles, elles ne se laissent pas démonter. C'est mon caractère. Je suis une abeille née sous le signe du Lion. »

Elle m'entraîna une fois dans sa cabine, après une collection, pour boire une coupe de champagne avec ses mannequins en soutien-gorge, parfaitement indifférentes. Personne ne l'attendait *en haut*, chez elle.

« Il ne faut pas présenter les robes comme le saint-sacrement », bougonnait-elle.

Et la voilà qui, une coupe à la main, fait une démonstration, souriante, décontractée, pas du tout ébranlée, semblait-il, par l'échec qu'elle venait de connaître ce jour-là.

« Les femmes n'ont plus d'ambition, disait-elle en parlant de ses mannequins. Elles veulent avoir de l'argent, ce n'est pas la même chose. Ça ne les intéresse pas d'apprendre quelque chose, sauf les Américaines qui vous posent tout le temps des questions : "Qu'est-ce que vous pensez de ce peintre ?" "Rien." "Dites-moi si vous l'aimez ?" "Je m'en fous." "Quel écrivain préférez-vous ?" La barbe ! Avec une Américaine, ça n'arrête jamais, c'est pénible mais plutôt touchant ; c'est à cause de ça qu'elles arrivent encore à épouser des Européens qui prennent plaisir à les instruire, mais ça se perd. Les Français, comme les Américains, ne s'intéressent plus qu'à leurs costumes. Ils vont dans des endroits pour se montrer. Et les femmes acceptent ça, maintenant. "Nous vivons comme des copains", m'a dit une de mes filles. "Et ça te suffit, de passer ta vie avec un copain ?" Quelle triste existence, c'est la fin de beaucoup de choses. Les femmes reçoivent des gifles et les acceptent. J'aurais pleuré comme un veau si on m'avait parlé comme les garçons parlent maintenant aux filles. Et ce sont toujours elles qui commencent ! Pourquoi courir après un garçon ? Pourquoi ne pas le laisser venir ? Les femmes deviennent folles. Les hommes vivent à leurs crochets. Elles travaillent et elles paient. C'est à mourir de rire. Les femmes deviennent des monstres parce qu'elles veulent être des hommes. Quels piètres hommes. Ce sont des victimes. Ça se démène, ça claque des talons, ça claque les portes. Elles ne savent plus ce que c'est d'être aimées. Elles sont avec des garçons plus préoccupés du pli de leur pantalon que d'elles. Je n'aurais même pas permis à ces garçons de cirer mes chaussures. Ils sont incapables de faire des bêtises pour une femme. Les femmes vont vers leur malheur. Travailler, toujours travailler, toujours courir, ne pas faire d'enfants parce que ça retarde dans la vie, galoper après l'argent, avec la prétention de tout faire mieux que les hommes. Bientôt, on leur demandera de tout faire parce qu'elles sont plus résistantes qu'eux. Les Chinois le savent bien. Et les Russes ! Ils ont envoyé une femme là-haut, dans le cosmos. La femme résiste à tout. Imaginez un homme en train de faire un enfant, il ne s'en remettrait pas. Un homme est perdu avec un rhume de cerveau. Aujourd'hui, la reine des abeilles, c'est l'homme. »

On l'aurait étonnée en soulignant tout ce qui, dans ce monologue, fournissait des éléments pour un autoportrait. Son cas ne lui paraissait pas exemplaire, mais unique.

Bien malgré elle,
Coco est l'héroïne d'un roman policier

Après quelques années d'un règne incontesté, assombri parfois par ses exigences et ses colères, Coco allait affronter une révolution née dans une rue anglaise de Soho. Mary Quant *inventa* le mini et, comme par enchantement, parce que tout cela se trouvait en suspension dans l'air du temps avec les rythmes des Beatles, le *mini* fut partout. À Paris, chez les couturiers, il porta Courrèges au sommet de la vague. Invitée à Matignon par le Premier ministre Georges Pompidou, Coco retrouva à table trois amies-clientes « déguisées en petites filles par monsieur Courrèges ».

« Comme pour faire de la figuration dans un mauvais film d'anticipation sur la vie dans les planètes. »

Elle soupirait :

« Que voulez-vous, mon cher, les Françaises aiment se ridiculiser. C'est une plaisanterie. Étonnez-vous après cela que trois maisons de couture soient rachetées par les Américains. La Maison Chanel, heureusement, va bien, même si nous refusons moins de commandes que d'habitude. »

Elle eut d'autres couleuvres à avaler. Une maîtresse de maison (considérable, croyez-moi) la reçut à dîner en Chanel, avec la jupe raccourcie à mi-cuisse. Qui aurait pu lui faire admettre que le phénomène mini correspondait, avec plus d'ampleur, aux exigences qui, au départ, favorisaient le lancement de son style : la liberté, le plaisir. Bientôt, les temps parurent loin où une chaise à la première de Chanel était aussi difficile à obtenir qu'une place au coucher du Roi-Soleil. Des sièges restaient vides ; on partait avant la fin. Des photographes assistaient à tout le défilé. Coco s'arc-boutait. Elle ajoutait des modèles, elle en montrait plus que jamais. Ils passaient dans un silence qui serrait le cœur. Quand j'applaudissais, Coco m'envoyait Lilou ou un autre émissaire : les amis ne doivent pas... Une Américaine toute-puissante, avec un ventilateur monté sur pile pour se rafraîchir, murmurait tristement :

« Je viens parce que Coco est une vieille dame. »

J'apercevais Coco en haut de l'escalier, apparemment impassible mais accablée. La veille, elle m'avait dit :

« On ne peut pas faire quelque chose de nouveau chaque fois, mais vous allez voir, je révolutionne tout cette fois, pas pour quelques vieilles folles, je le fais pour tout le monde. »

Quoi ? Quoi ? Elle s'était dérobée :

« Je vous aime beaucoup, mais vous ne verrez rien aujourd'hui. Revenez demain avec votre *machin.* »

Elle parlait de mon *nagra*, un magnétophone utilisé par les reporters de la radio. J'avais quitté *Marie-Claire*, épuisé par les exigences désordonnées du Patron, et davantage par les intrigues des hommes liges, qui le desservaient. J'étais éditorialiste à Europe 1.

« On ne montrera pas le genou chez moi, répétait Coco. Le genou est une articulation. (Elle pliait l'index en le mettant sous mes yeux.) Vous trouvez que c'est beau, une articulation ? »

Elle avait de très jolis genoux, elle, bien ronds, sur lesquels elle ramenait constamment sa jupe. La nouveauté révolutionnaire dont elle m'avait parlé (c'était l'été 1968) et sur laquelle elle comptait pour regagner le terrain perdu ? Alors que tous les couturiers raccourcissaient, elle jouait la pudeur Chanel, en proposant aux femmes de porter sous leur jupe des culottes aux genoux (à la française). Pour les robes du soir, cela donnait des tenues sublimes pour princesses persanes. Pour les tailleurs en tweed d'Écosse ou d'Irlande, c'était lourd, carrément ridicule.

« Vous me voyez là-dedans ? » me demanda un de ces monstres du Tout-Paris, placés sur orbite mondaine par la naissance.

Embusqué près d'une fenêtre entrouverte afin de happer un peu d'air de la rue, j'étais frappé par le manque de jeunesse de cette faune qui « fait » les collections. Non que les vestales de la Mode fussent toutes vieilles, elles n'avaient pas d'âge, pas même de sexe, rien de ce qui attire un homme vers une femme. Casées selon des hiérarchies protocolaires, comme les courtisans à Versailles, elles se mesuraient et se défiaient : Tiens ! celle-là est plus proche que moi du trône occupé ce jour-là par Lauren Bacall. Quelques actrices l'observaient en secouant leurs mèches sur le visage.

J'étais plus qu'embarrassé en grimpant chez Coco après le *spectacle*. Que lui dire ? Des pantalons en tweed sous des jupes en tweed alors que les autres montraient les cuisses, certains, le nombril... Elle souriait en retenant ma main :

« Vous voyez, il n'y a pas grand monde ici, mais les gens qui sont montés connaissent le travail bien fait. Pour moi, le travail est la seule chose qui compte. »

Quelques jours plus tard, on montrait la collection à pantalons à une vingtaine de clientes quand Lilou, stupéfaite, vit un peintre en salopette blanche descendre l'escalier aux miroirs avec un pot à la main et un pinceau dans le pot. Il traversa le salon en bousculant un mannequin médusé, puis disparut dans le mur.

« Le passe-muraille », souffla Lilou.

On avait percé une porte pour communiquer avec la maison voisine où la direction des Parfums Chanel et des Parfums Bourjois installait un jeune couturier. Coco m'entraîna à travers la brèche ouverte pour me faire visiter un immense atelier prêt à fonctionner, avec de petites tables pour les machines à coudre, des cagibis vitrés pour les premières et un grand bureau pour le maître appelé à supplanter Coco, tout prêt, lui, à fournir à qui en demanderait des jupes Chanel à mi-cuisse.

« Depuis quelque temps déjà, on me passe de la pommade pour que je m'en aille, murmura Coco. Ils ne se rendent pas compte de la catastrophe que ça serait. Si je fermais, ce serait comme si on arrêtait une usine d'automobiles. »

Elle employait alors quatre cents personnes. Elle se voûtait sous mes yeux ; le rideau de la vieillesse s'abaissait sur son visage. Il m'arrivait de la supporter avec irritation : tant d'inconscience, tant d'égocentrisme, ses histoires, toujours les mêmes, les méchancetés sur tout le monde, son côté insecte, carapace et pinces. Mais ce jour-là, très calme, elle tirait les lunettes sur son nez, devenant une grand-mère résolue à la lutte, et jusqu'à la mort.

« C'est un roman policier », disait-elle.

Elle vivait, en fait, un chapitre des *Deux gosses* de Pierre Decourcelle, l'enlèvement de Fanfan, que Ramon de Montlaur confie à l'abominable La Limace afin qu'il fasse de ce petit ange aristocratique un misérable de son espèce.

« Voilà l'enfant ! » dit Ramon d'une voix sourde.

La Maison Chanel !

« Il est vraiment chouette, bourgeois, sur l'honneur, il vous ressemble », dit La Limace.

Elle souffrait, la pauvre Coco, et il me semblait que je la découvrais. Elle était donc vulnérable, elle aussi. Pourquoi n'aurait-elle pas souffert d'amour ? De l'enfant qu'elle ne pouvait pas avoir ? On voulait lui arracher son sceptre. Il fallait bien admettre que son règne paraissait compromis. Elle n'intéressait plus la presse. Si le Chanel restait commercialement solide, si la Maison de Couture, même au ralenti, demeurait un moteur efficace pour la vente des parfums, Coco, elle, ne faisait plus l'événement. Les journalistes de mode perdaient leur temps rue Cambon où l'on retrouvait tous les six mois la même perfection impossible à traduire en photographies ou en titres.

Un *vilain genou.* Elle tirait sur les deux bouts d'une écharpe rouge nouée autour de son cou. Un vieux cou.

« Vous croyez que c'est amusant d'entendre répéter que vous n'avez plus vingt ans ? Je ne le sais que trop. Je me contenterais de quarante. »

Renoncer ? Capituler ? Elle en parlait.

— J'ai envie de tout plaquer bien souvent. Pourquoi est-ce que je fais encore ce sale métier ?

— Vous le dites après chaque collection, depuis que je vous connais.

— Qu'est-ce que je ferais si je ne travaillais plus ? Je m'embêterais tellement.

Avec l'accent sur le *bê* : je m'emBÊterais. Elle avait acheté une maison à Lausanne :

« Pas sur le lac, qui est hideux, avec des cygnes qui sentent mauvais. L'eau est pourrie, les poules d'eau crèvent. Je serai sur la hauteur, dans une petite maison qui s'appelle Le Signal. On ne peut plus vivre dans une maison qui demande plus de deux domestiques. Je veux quelque chose de petit, un nid où je serai tranquille pour mourir. C'est confortable, je n'ai rien à installer pour l'eau et pour la chaleur. J'ai trois salles de bain en plus de la mienne. Je couvrirai les murs avec des choses laquées (ses paravents de Coromandel). À l'extérieur, j'arrangerai ça en chalet puisqu'on est en Suisse. Non, je n'ai pas de vue sur le lac. On ne voit que mon jardin.

À quelques pas, on découvre une vue sublime. De toute façon, on passe sa vie dans sa chambre. Je ne ferai pas de chichis, la maison ne sera ouverte qu'aux amis, je ne vais pas m'amuser à donner des réceptions en Suisse. »

Elle me montra un lit et des chaises en fer forgé, réalisés par le frère du sculpteur Giacometti.

« Un véritable artiste. Il n'ose pas vous demander de l'argent. C'est admirable, ce qu'il fait. On est venu photographier le lit. J'ai perdu une matinée. Je deviens un objet, moi aussi. Le pauvre Giacometti est tombé dans la rue, on ne l'a pas ramassé tout de suite, il est à l'hôpital. »

Elle se plaignait d'être trop seule dans son travail ; un accès d'humilité, très nouveau, tout à fait imprévisible.

« On ne peut rien sans les autres. Hélas ! on ne trouve personne. On est paralysé. Les gens ne voient pas ce que vous faites pour eux, et les pauvres femmes sont de plus en plus folles. On leur dit : haricot vert, elles deviennent haricot vert, ou : vous serez Empire, elles crient vive l'Empereur. Soyez triangle, soyez losange, elles deviennent tout ça, elles deviennent tout ça. On montre leur nombril maintenant ; ce n'est pas ce qu'elles ont de mieux. Un pantalon au-dessous du nombril, une blouse au-dessus. C'est tellement précieux le nombril, il faut le placer en vitrine. Bientôt les femmes montreront leur cul. »

Elle arrivait au bout de ce qu'elle pouvait supporter.

« Ah ! je reçois une bonne dégelée tous ces temps-ci. Qu'est-ce que je peux faire toute seule ? Je le leur dis : Si vous ne m'aidez pas, je ne ferai plus rien. Je suis entourée de gens qui ne pensent qu'à gagner de l'argent sans le mériter. Hier, c'était férié pour le Travail (le 1er mai). On fermera encore jeudi pour l'Ascension. J'ai dit : Si vous ne voulez pas travailler, on ne travaillera pas, mais je vous traiterai tous de fainéants. Quand on ne travaille pas, il faut quand même payer les assurances sociales ; ça fait des millions. On travaillait toujours le jour de l'Ascension. Vendredi, les gens ne penseront qu'à partir à six heures. On travaille sans plaisir. »

Pouvait-elle vraiment abandonner la Couture, alors qu'elle restait seule dépositaire de ses secrets ? Elle invoquait les intérêts supérieurs du pays :

« Moi, je n'ai besoin de rien, je pourrais m'arrêter. »

Elle me faisait penser parfois à Sacha Guitry durant sa disgrâce, quand, mis en quarantaine dans son hôtel de l'avenue Reclus, il rédigeait *60 jours de prison* pour régler ses comptes. Lui aussi se sentait renié par ce Paris qu'il était persuadé d'incarner. N'avait-il pas toujours défendu le prestige de la France ? Il s'étonnait qu'on ne s'excusât pas de l'avoir suspecté, arrêté, expédié à Fresnes. Coco attendait qu'on la suppliât de poursuivre ses efforts :

« Chère et grandissime Mademoiselle Chanel, il n'est pas possible que vous renonciez à servir le luxe français, si important pour la patrie. »

En parlant de la mode italienne, elle s'inquiétait parfois.

« Les usines italiennes ne ferment pas toutes en août, comme ici, quand on a besoin de tissu pour exécuter les commandes », remarquait-elle.

Après quoi on la voyait pouffer en regardant les modèles des couturiers romains repris dans les magazines américains.

« Les Américains comprendraient, eux, ce que signifierait la fermeture de Chanel. »

Pourquoi un complot contre son règne ? Si Chanel ne se maintenait pas, que resterait-il de la Couture ? Rien. Et de soupirer :

« Les magazines féminins ont tué la Couture ; ce sont maintenant des officines de pharmacie, ils ne parlent plus de mode, seulement de la pilule ; on vous explique comment ne pas avoir d'enfants. »

Et d'ajouter avec malice :

« Est-ce qu'on en ferait plus qu'autrefois ? »

Coco inspire
une comédie musicale

On imagine facilement l'accueil que Mademoiselle Chanel eût reçu à New York si elle avait consenti à paraître à la première de *Coco*, l'opérette inspirée par sa vie (disons par sa réputation). Elle aurait remonté Broadway sous les confettis. Certains grands hommes peuvent se donner le plaisir d'arpenter une rue qui porte leur nom, d'autres peuvent s'admirer statufiés. Mais ça : une opérette à Broadway, avec une grande vedette pour vous incarner, c'est tout de même assez exceptionnel. Coco n'en était pas bouleversée et, il faut bien le dire, les Français le prenaient plutôt avec indifférence. Est-ce qu'une opérette sur B.B. les aurait excités davantage ?

Monter une opérette pour Broadway n'est pas une mince affaire. Le projet prit forme à la table des frères Mille, Hervé et Gérard. À la Libération, Hervé Mille, associé à toutes les décisions de Jean Prouvost que la police recherchait pour l'arrêter, était devenu une sorte de ministre de l'Information officieux, dont les nouveaux messieurs de la presse se disputaient les conseils. Tout le monde se retrouvait chez les frères Mille, des politiciens, des comédiens et des comédiennes, des producteurs de cinéma, des directeurs de théâtre, sans parler des hommes d'argent capables de faire bouillir les diverses marmites sur le feu. Proust aurait observé chez les Mille les personnages des temps nouveaux en voie de cristallisation, avec des visages et des noms connus de tout le monde ou qui le seraient bientôt, puisqu'on pouvait y rencontrer aussi bien Jean Cocteau en train de renaître des cendres de l'Occupation qu'une inconnue de dix-sept ans, qui allait changer les visages : Brigitte Bardot, ou encore Marlon Brando, Jean Genet, Marie Bell, sans oublier Jacques Chaban-Delmas, alors très engagé dans des créations de journaux.

On trouverait bien des points de comparaison entre la rue de Varenne des frères Mille et la rue Cambon de Coco, à ses débuts. Dans ces deux hauts lieux, un climat régnait qui favorisait les naissances et les recommencements. Gérard Mille, décorateur, ne cachait pas ce qu'il devait à sa chère Coco : les paravents de Coromandel, les jeux de miroirs qui donnent aux pièces des dimensions magiques, permettant d'utiliser des objets jusque-là jugés disproportionnés par rapport aux intérieurs, comme d'énormes potiches chinoises, des nègres vénitiens, ou encore (comme chez Coco) des biches aussi grandes que dans mes forêts de Munster.

Combien de carrières de presse, de théâtre ou de cinéma ont commencé rue de Varenne ? Vadim y prenait ses quartiers quand il tirait le diable par la queue, c'était chez les frères Mille qu'il emmenait Brigitte dîner. Les parents téléphonaient : notre fille est là ? Renvoyez-la avant minuit, merci. Gérard Mille s'étranglait de fureur en découvrant que Christian Marquand et quelques copains portaient ses smokings. Annabel, pas encore Buffet, arrangeait des roses dans les vases. Carpentier découvrait le charmant mannequin blond qu'il allait épouser, Maurice Chevalier apportait le premier tome de ses souvenirs, tout, vraiment tout se passait rue de Varenne, où Coco, bien entendu, se trouvait chez elle. C'est là qu'elle rencontra le producteur Frédéric Brisson, résolu à l'acheter sous la forme d'une autobiographie, d'une pièce de théâtre, d'un film, ou encore, pourquoi pas d'une *musical comedy* ? Elle ne voulait pas du livre ni du film. En piochant dans son passé pour raconter sa vie, on aurait retrouvé sa vérité, si laborieusement ensevelie, et sur laquelle elle continuait à jeter des pelletées de terre. Mais pourquoi pas une comédie musicale, qui relève en principe de la plus grande fantaisie ? *My Fair Lady* avait triomphé à Broadway avant de donner un film qui rapportait des millions de dollars. Voilà, c'était cela qu'il fallait faire.

L'accord est conclu. Brisson pensait à sa femme pour le rôle de Coco : Rosalind Russel, que Coco trouvait vulgaire, « un grand cheval », disait-elle, assez haut pour être entendu par la presse américaine. Rosalind avait déjà renoncé au rôle, ce qui n'empêchait pas le scénario de rester marqué par son empreinte. On prenait Coco lors de son *come-back*, en 1954 ; elle eût préféré se voir à ses débuts. Elle imaginait Audrey Hepburn dans son premier jersey, à Deauville, aux courses à Longchamp, avec des cocottes et des hussards autour d'elle. Elle eut Katharine Hepburn, géniale, dans laquelle elle ne se reconnaissait plus. Lamer, auteur de l'opérette, s'en tenait au thème que Rosalind Russel devait servir :

« Coco, expliquait-il, est une femme qui a tout sacrifié à son indépendance et qui, l'ayant conquise, s'aperçoit qu'elle l'a payée du prix exorbitant de la solitude. »

Ce n'était pas mal vu.

— C'est un thème de tragédie, dit Hervé Mille.

— Ce sera donc une *musical tragedy*, dit Lamer.

Il se mit au travail en 1965. Il avait fallu dix ans pour convaincre Coco, qui chargea René de Chambrun de négocier ses droits. Au printemps 1966, Brisson arriva à Paris. Il amena Lamer et Previn, le compositeur. Lamer chanta les airs de Coco, accompagné par Previn au piano.

« Dans cette opérette, disait Coco, "je" ne fais pas grand-chose. Je reste assise et ça défile devant moi. »

Pour commencer, elle voyait son père penché sur son berceau, cherchant un diminutif pour elle et finissant par trouver Coco. La grand-mère reprenait le surnom et annonçait à sa petite-fille qu'elle connaîtrait la gloire et qu'elle serait riche mais qu'elle resterait seule.

Seule ! Hervé Mille affirme que des larmes inondèrent le visage de Coco quand elle entendit ce couplet. Peu de gens l'ont vue pleurer à la fin de sa vie.

Selon l'histoire conçue par Lamer, Coco, assommée par l'échec de sa première collection, était sauvée par un modéliste américain qui non seulement rajeunissait ses créations, mais lui apportait la clientèle des riches Américaines. Faut-il s'étonner qu'elle ait refusé d'aller à Broadway pour la première ? Autre raison pour justifier son absence : elle n'aimait pas les costumes dessinés par Cecil Beaton, une centaine de robes « à la Chanel ».

« Au Ritz, me dit-elle, des Américaines m'abordent pour me dire : Quel dommage, Mademoiselle Chanel, que vous n'ayez pas fait les costumes vous-même ! Au moins, en allant voir l'opérette, nous aurions eu quelque chose à regarder. »

Je lui reprochais de ne pas avoir fait le voyage :

— Ça ne vous intéresse pas de découvrir la façon dont on vous regarde ?

— C'est tellement compliqué de voyager, maintenant. Il y a tellement de monde partout. Je fais mes plus beaux voyages sur mon divan. Je vais où je veux.

Elle était retournée aux États-Unis en 1946.

« J'ai eu mon passeport en quarante-huit heures, mais je n'ai pas pu emmener ma femme de chambre[1]. Je m'habillais tranquillement toute seule, quand on est arrivé à destination. Il y avait un grand remue-ménage sur le bateau. Je pensais : il doit y avoir un personnage important à bord. J'avais vu un boxeur noir (Al Brown). C'était sans doute lui qu'on attendait. Il n'avait pas le

1. Sa « nièce » Tiny Labrunie l'accompagnait.

droit d'être en haut avec nous. Je ne me pressais pas, on en avait pour trois quarts d'heure avant de débarquer. Je ne tiens jamais à descendre la première. Je faisais mes bagages. On frappe. Je demande : Qui est là ? Sans ouvrir. La confiance ne régnait pas. On me crie à travers la porte que des tas de gens m'attendent au salon. Je réponds que je n'ai donné rendez-vous à personne. Ça faisait un tel raffut que le commandant a fini parvenir ; je lui ai ouvert, naturellement. Il a dit : "Ce sont les journalistes". "Je ne veux pas les voir, je viens pour une affaire privée." Je ne faisais pas de robes, pas encore. "Si j'avais su, a dit le commandant, j'aurais organisé les choses. Que voulez-vous que je fasse ? Ils sont au moins quarante. Je les ai enfermés dans le salon de verdure." "C'est très embêtant pour moi, commandant, je fais mes bagages." Il m'a dit : "Je vous envoie quelqu'un pour les terminer." J'ai perdu une brosse à dents, une brosse à ongles et un savon. La femme de chambre qui devait m'aider n'a rien fait du tout. »

Les journalistes lui demandèrent ce qu'elle pensait du *new look*.

« J'avais emporté deux tailleurs d'avant la guerre, j'avais l'un sur le dos. J'ai dit aux journalistes : "Vous m'avez regardée ?" Ils ont ri. Ils m'ont demandé si je ferais encore des robes. J'ai dit : "Je n'en sais rien. J'ai fermé ma Maison à cause de la guerre. Je viens à New York pour les parfums." »

Une jeune femme voulut savoir où il fallait se parfumer, et Coco avait fait cette réponse dont Marilyn s'était inspirée :

« Partout où vous souhaitez qu'on vous embrasse. »

« Ça m'a valu l'amitié des journalistes américains, disait-elle. Ce sont des enfants. Je les faisais rire. Ils voulaient savoir ce que je mangeais le matin. Je disais : "Un camélia." Et le soir : "Un hortensia." Je leur disais ça pour les amuser, pas du tout pour faire la vedette. Cette époque a créé deux choses affreuses, les vedettes et les mannequins. Moi, je suis le contraire de tout cela, je veux mener une vie tranquille et manger quand j'ai faim. »

En septembre 1957, elle consentit à se rendre à Dallas pour le cinquantième anniversaire des magasins de Stanley Markus, qui lui décernait son trophée, le Nieman Markus Award de l'élégance, du prestige et de la création artistique : elle n'en voulait pas. Markus l'avait déjà donné à Christian Dior et à Hélène Lazareff. Elle redoutait également de prendre l'avion, en refusant d'en convenir. René de Chambrun reçut Markus à déjeuner au château de Lagrange, où vécut son aïeul le général de La Fayette. Au salon, parmi d'autres affiches historiques, on en voit une (en soie) qui annonçait une représentation de Hamlet, interprété par Macready, le Talma britannique. Au-dessus du nom de l'acteur, au-dessus du nom de Shakespeare, on lit en capitales immenses : GÉNÉRAL LA FAYETTE WILL ATTEND. Le général de La Fayette sera présent.

— Si vous voulez attirer Mademoiselle Chanel à Dallas, glissa Chambrun à Markus, montrez-lui cette affiche en lui disant que…

— Compris ! dit Markus.

Il entraîna Coco devant l'affiche :

— Vous serez annoncée ainsi :

MADEMOISELLE CHANEL WILL ATTEND.

C'était surtout le *come-back* de Coco qui étonnait les Américains, qu'elle ait réussi, après avoir abandonné son titre de championne du monde en 1939, à le reprendre si facilement quinze ans après. On la comparait au boxeur Ray Sugar Robinson : LIKE SUGAR RAY COCO DID IT, titrait, en gros, le journal de Dallas.

« On m'a réservé une surprise, racontait Coco. Lors d'une grande réception, le soir, un couple de mariés inattendus est apparu sous les feux convergents des projecteurs : un jeune taureau affublé d'un habit avec un haut-de-forme entre les cornes et une vachette en Chanel blanc, avec un long voile. Tout ça dans une chaleur accablante. Les chambres sont glacées. Je me suis enrhumée tout de suite avec l'air conditionné, je me promenais avec un mouchoir sur la tête, et c'est tellement bien manigancé qu'on ne peut rien arrêter. Vous touchez quelque chose, ça fait de la musique. J'avais cinq télévisions. Je me servais de celle de ma salle de bain. La publicité ressemble aux films, on ne sait jamais où l'on en est, c'est horrible. »

Elle aurait voulu rencontrer Billy Graham, qu'elle avait vu à la télévision lire et commenter la Bible (toujours l'angoisse de l'autre dimension). On l'emmena pour suivre une réunion, mais il y avait trop de monde. Comme je me moquais de Billy Graham, elle plaida :

« C'est quelqu'un de très intelligent, qui vit dans son époque, et il le fait comprendre aux gens qui l'écoutent : regardez-moi, j'ai de belles dents, je les fais arranger pour avoir un beau sourire parce qu'on ne peut rien apprendre aux gens quand on est moche. Il joue au golf pour montrer qu'il est de son temps, pas du tout un vieux bonhomme parce qu'il lit la Bible. »

Une pierre dans mon jardin ? Le voyage à Dallas lui laissait de méchants souvenirs :

« Les mains de deux mille personnes à serrer ! Il n'y avait personne d'autre que moi, c'était bien, mais crevant. M. Stanley Markus avait fait venir tous ses fournisseurs et tous ses clients. Comme grande attraction, Mademoiselle Chanel, dont ils entendaient beaucoup parler mais qu'ils ne voyaient jamais. On ne m'y reprendra plus à faire la star. »

On l'avait emmenée à La Nouvelle-Orléans, « l'endroit le moins embêtant d'Amérique », disait-elle. « Je n'ai pas pu en profiter, j'étais claquée. »

Elle se souvenait avec bonheur d'un voyage en Californie, avec Georges Kessel qui l'accompagnait. Une nuit à Monterey. Son balcon dominait la mer. Un Noir chantait. Elle disait :

« Il répétait toujours la même phrase. Je lui ai demandé de chanter pour moi. Le lendemain j'ai acheté des choses de cow-boy et j'ai tout refait en mieux ; j'ai gagné des fortunes. Maintenant, les voyages… J'en suis dégoûtée de fatigue rien que d'y penser. Je vais en Suisse pour ma santé, et parce que j'ai une maison là-bas. Je n'aime plus que la Suisse bien qu'il y ait de plus en plus de monde ; un peu trop. Je m'ennuie en Amérique. Les Américains attendent de nous que nous leur apportions des choses, et nous allons en chercher. Qu'est-ce que nous leur prenons ? Des gadgets. Ils ignorent le luxe, le vrai luxe. Un pays qui ne connaît que le confort est foutu. Les milliardaires collent des tableaux les uns sur les autres. Ils peuvent acheter. Ils font des placements. On en parle, ça devient de la publicité. Le luxe, c'est bien autre chose. Il disparaît aussi en France. En Allemagne, cela se trouve encore. Je suis allée dans des châteaux… À peine croyable, mon cher. Vous avez un valet derrière votre chaise. L'argenterie est presque trop lourde, mais c'est du luxe. En France, tout est moitié-moitié. »

D'un train, aux États-Unis, elle avait aperçu une cheminée d'usine sur laquelle on lisait CHANEL.

« C'était peut-être à mon père. »

Elle n'avait pas cherché à en savoir plus.

« On ne peut rien sans l'Amérique, disait-elle. Ce qui n'est pas sanctionné par l'Amérique ne marche pas et c'est très bien, parce que l'Amérique, c'est la jeunesse et l'efficacité. »

Avant la guerre, en 1931, Coco s'était rendue à Hollywood à la demande de Samuel Goldwyn qui lui offrait un million de dollars pour habiller les vedettes de ses films. Un contrat qui ne fut pas signé prévoyait deux voyages par an. Les stars se rebiffèrent. Coco avait fait les costumes pour Gloria Swanson. On en resta là. « Hollywood, c'est le Mont-Saint-Michel des seins et de la fesse », disait Coco.

Depuis que la Maison vivait des années plus difficiles, je voyais Coco plus fréquemment.

Dans la mesure où elle reconnaissait l'échec relatif de ses dernières collections, et notamment celui des pantalons sous les jupes, elle l'attribuait aux journalistes :

« Personne ne parle plus de Chanel. Vous devriez vous occuper de ça avec moi. »

Elle s'était inquiétée de mon sort quand j'avais quitté Prouvost. Il lui arrivait même de me demander des nouvelles de mon cœur qui s'était mis à battre un peu vite.

En principe, c'était Lilou Grumbach qui s'occupait des relations avec la presse, mais quand on lui demandait quelles étaient ses fonctions et ses attributions, elle répondait en riant qu'elle aurait bien voulu qu'on le lui précisât. Personne n'a passé plus de temps que Lilou avec Mademoiselle Chanel durant les dernières années de sa vie. Je la connaissais par son frère, Christian Marquand.

Lilou faisait énormément de présence ; il fallait être là pour écouter Mademoiselle, pour déjeuner avec elle, pour la ramener tard au Ritz quand il n'y avait personne d'autre. Coco, qui ne pouvait se passer d'elle, ne cessait de la chasser :

« C'est fini, grondait-elle, je ne veux plus d'amateurs autour de moi. »

Elle détestait le mari de Lilou, Philippe Grumbach, un de mes amis de la presse. D'une façon générale, elle n'aimait pas les couples qui donnaient une apparence de sérénité. Jamais elle n'avait réussi « ça ». Les Grumbach avaient adopté deux enfants ; ça l'agaçait aussi.

Elle dormait mal, elle mangeait de moins en moins. Elle faisait du somnambulisme, on la retrouvait dans un couloir, grelottant de froid. Elle s'était cassé des côtes, blessée à la jambe et au nez. Elle se soignait elle-même.

« Quand on appelle le médecin, il vous fait passer à la radio et vous n'avez pas fini. »

Pour le nez, m'expliquait-elle avec gestes à l'appui, elle avait rapproché les extrémités de la coupure et la peau s'était recollée parfaitement. Sa jambe s'ankylosait quand elle restait assise. Elle se relevait pour plier le genou.

« Je peux rester debout. Si j'avais une fracture, je ne pourrais pas. Une amie américaine m'a demandé si j'avais mal à la hanche ; cette idiote s'imaginait que j'avais une fracture du col du fémur. »

Elle restait dure à la douleur, comme les gens de sa génération, dans les campagnes, qui n'appelaient le médecin que lorsqu'il était trop tard. Pour la retenir au lit, on calait la table contre son matelas.

« Je ferai mettre le sommier par terre ; je tomberai de moins haut. Il paraît qu'il m'arrive de crier dans mon sommeil quand mon arthrite me fait mal. Comme j'ai peur de me mettre au lit, je m'endors sur ma chaise et je tombe : bang ! »

Elle se frottait la tête en riant. Son somnambulisme lui rappelait son père :

« Mon père me ramenait au lit quand je *descendais*, très doucement, pour ne pas me réveiller. J'avais très peur, je tendais la main en criant : "*Il* est là !" "Non, non, n'aie pas peur, disait mon père, *il* n'est pas méchant, *il* ne te fera rien." »

Elle parlait de son père. Il n'aimait pas le porc, disait-elle, et lui interdisait d'en manger. En Auvergne, la mauvaise saison était très froide. « On restait parfois trois ou quatre mois sans pouvoir sortir de la maison. »

C'était toujours dans une ambiance de froid et de neige qu'elle évoquait son enfance, jamais une image de printemps, jamais des souvenirs d'été, rien des moissons, si, ce que les fermiers apportaient aux tantes pour régler leurs loyers.

Elle me reprochait de ne pas l'avoir prévenue que j'avais une émission à Europe 1, le dimanche matin (à mes débuts) :

« Vous aviez peur de me réveiller ? Vous avez toujours peur de quelque chose. Nous sommes amis. Ne retournez pas tout de suite en Alsace pour écrire un autre livre. Il ne faut pas se faire oublier. Il faut rester dans le toboggan, avec les gens dont on parle, il faut s'installer à l'avant et ne pas se laisser déloger. »

Le toboggan ! Elle reprenait et réadaptait un mot qu'on utilisait pour exprimer le contraire de ce qu'elle voulait me faire comprendre. Quand on perdait sa notoriété, on dégringolait dans le toboggan. Elle s'installait sur les montagnes russes d'un *scenic railway*, et elle ne lâchait pas sa place, tout à fait à l'avant.

« Je vais entreprendre ma dernière collection, me dit-elle, et ce sera la synthèse de tout ce que j'ai fait. »

En parlant, elle faisait glisser la ganse de son tailleur entre le pouce et l'index.

« Je le porte depuis dix ans, ce tailleur. »

Ma dernière collection. Un pressentiment m'avertissait : cette fois elle était sincère. Il me semblait que je devais suivre cette collection de près, un peu comme Joinville accompagnait Saint-Louis ; après tout, il s'agissait d'une croisade pour le Beau, pour la Perfection, pour le Bon Goût. Je me trompais, bien entendu ; Coco allait encore préparer cinq autres collections. Elle était d'accord pour que je m'intéresse à celle-là avec elle.

« Une collection, il faut la trouver. Je cherche le thème. On en parlera. Vous comprendrez comment *ça vient* ; vous apprendrez beaucoup de choses. »

C'était un samedi ; elle avait convoqué tout son monde rue Cambon.

« On ne peut pas travailler quand il n'y a personne. »

Coco, pourtant, restait parfois seule : « Mais ils savent que je suis là. S'*ils* ont besoin de me demander quelque chose, ils n'ont qu'à venir. Personne ne vient jamais. C'est embêtant parce que les choses se font en parlant. Durant ces périodes que nous vivons, il faut faire une très bonne collection. Tout est démodé. »

Une autocritique ?

« On ne fait plus que de la copie. *Ils* [cette fois il s'agissait évidemment des couturiers] veulent tout chambouler, mais *ils* ne savent pas quoi faire. Pour changer la mode, il ne suffit pas de raccourcir. Je ne crois pas que l'on puisse revenir aux robes longues pour le jour, ça ne va plus avec la vie que l'on mène. Paris est embouteillé. On organise les embouteillages pour vendre des automobiles et on apprend qu'il y a cent morts chaque dimanche. Ça me fait peur, on ne peut plus sortir. Je me dis : Reste chez toi. On va vivre comme ça, sur le tas. »

Sans transition :

— Je cherche une nouvelle silhouette pour une nouvelle femme.

— Vous ne ressentiez pas ce besoin de faire du nouveau jusqu'ici ?

Elle fronçait les sourcils en me regardant de travers.

— Vous constatez que tout est démodé.

Elle esquiva :

— Je ne peux pas tout faire toute seule. On me dit : si vous ne recevez pas de stylistes, ça ne marchera plus. Je demande : des stylistes, qu'est-ce que c'est ? Il paraît que ce sont des jeunes femmes qui viennent d'Amérique pour vendre de petits secrets de couture. Peut-on imaginer ça ? Tout le monde devient fou.

Chez elle, tout passait par elle. Plus elle perdait de terrain, plus elle se montrait exigeante. On regimbait secrètement : *elle devient dingue, la vieille*, ça se lisait dans les yeux.

Coco avait invité à dîner un confrère américain de *Women's Wear*, un journal professionnel qui fait la pluie et le beau temps chez les confectionneurs de la Troisième Avenue. *Women's Wear* avait fait paraître une page de publicité, payée précisément par ces industriels du vêtement, une seule phrase imprimée en travers de la page : *We love Coco*. Le *o* de *love* était remplacé par un cœur. Pour Coco, le bonheur. Mon confrère était venu avec sa jeune femme, charmante et gaie. En mini-jupe. Héroïque, Coco lui présenta les deux colliers qu'elle portait :

— Lequel vous ferait plaisir ?

La jeune femme avait choisi le plus long. Le sourire de Coco permettait de l'imaginer alors qu'elle vendait ses premiers chapeaux aux dames du beau monde qui venaient l'examiner à travers leur face-à-main. La Couture n'est pas un art mais un commerce. Vendre. Donc plaire. Donc accepter. Elle allait avoir quatre-vingt-cinq ans. Ça marchait toujours.

— À votre avis, demanda-t-elle au journaliste de *Women's Wear*, ce sera long ou court ?

Elle paraissait attacher une importance extrême à sa réponse. Il prévoyait du *court*. Elle était plus que troublée.

« Je réfléchis trop. »

Elle perdait le sommeil. Elle se réveillait avec, dans la tête, la robe *révolutionnaire* qu'elle cherchait ; mais déjà elle lui paraissait *démodée.* « Je ne vais pas faire des jupes-ceintures ! »

Elle plaçait une main sur le ventre. Les fabricants lui montraient des tissus admirables. « Ils les font pour moi parce que je sais les utiliser. Ces tissus sont faits pour les bonnes bourgeoises qui ont de l'allure et de l'argent. Pour les gamines, il faut des choses qui coûtent moins cher. »

Un soupir : quel désordre, cette mode yéyé. Et l'inspiration ? Ça venait ?

« Il ne faut pas se presser, sinon on fait des choses démodées tout de suite. »

Tout en pensant uniquement à sa collection, elle parlait de tout et de n'importe quoi, du président Pompidou, rassuré quand sa femme portait du Chanel, des vacances, toutes les employées voulaient partir en même temps, de la quatrième guerre mondiale, déjà commencée, n'est-ce pas, d'un échotier qui avait écrit fielleusement que Katharine Hepburn, cinquante-quatre ans, incarnait Mademoiselle Chanel, quatre-vingt-quatre ans.

« Que voulez-vous que ça me fasse, mon cher ? J'ai dit que j'avais quatre-vingt-quinze ans mais que j'aimerais bien tenir jusqu'à cent, pour voir ; ça doit être amusant d'être centenaire. J'ai toute la presse contre moi, mais je m'en moque. »

La presse la ramenait au mini :

— On me dit que c'est fini, cette longueur ? Ça ne prend plus, n'est-ce pas ?

— On en voit de plus en plus.

— Bientôt, les femmes sortiront nues. Vous saurez tout de suite à quoi vous en tenir, mon cher. On fait n'importe quoi pour épater trois ou quatre personnes. Les hommes vont avoir les femmes qu'ils méritent.

Après m'avoir accueilli comme le Sauveur, elle se refermait le lendemain ; confiante le lundi, elle me suspectait le mardi de chercher à prendre beaucoup pour rien ; l'éditeur Doubleday lui offrait ceci, un magazine américain lui donnerait un million, qu'est-ce que je voulais faire, moi ? Mercredi, c'était oublié. Sa femme de chambre l'avait trouvée au réveil endormie sur une robe en mousseline. Elle évoquait Boy, ses évanouissements, elle se croyait sur des montagnes russes et tout à coup elle arrivait sur un mur, c'était du papier avec des briques peintes dessus, on passait au travers. Puis :

« Il faut changer la silhouette, je ne veux plus que ce soit droit et plat. La mode, c'est l'illusion qu'une autre femme est née. Mais une femme de quelle époque ? »

Si j'écrivais un article, est-ce que je le donnerais à *Marie-Claire* ?

« Jean Prouvost a été très gentil, il a dit que le numéro avec mes modèles s'est bien vendu, atteignant un sommet. Mais ces gens-là, pourquoi leur ferais-je des cadeaux ? RTL[1] vient d'annoncer que je vendais la Maison aux Américains. Pourquoi faudrait-il que j'aide toujours mes amis alors qu'ils ne pensent jamais à moi ? »

Elle agitait une lettre, reçue d'un richissime banquier, qui prévenait les couturiers qu'il ne paierait plus les robes de sa femme :

« Elle avait pris quatre costumes chez nous. On nous les a payés. Le mari a été très correct. Quand elle est revenue, j'ai dit : "Ma chère c'est fini." Elle pleurait : "Vous ne pouvez pas faire ça à une femme comme moi !" Je l'ai secouée : "Ma chère, qu'est-ce que tu es ? On te donne un million par mois pour t'habiller et tu fais des dettes ! Ne parle pas de divorcer. Tu serais folle. Tu m'as dit que tu n'as rien", etc., etc. (La suite, impubliable avant cinquante ans.)

1. Jean Prouvost était devenu PDG de RTL.

Elle jonglait avec des chiffres :

« Une collection coûte 350 millions [de centimes]. Lorsqu'un tailleur descend de l'atelier, cousu sur de la toile, avant tout essayage, il revient déjà à 200 000 francs [anciens]. »

Elle sort une photo d'elle prise pendant la Grande Guerre :

« Je me coiffais autrement mais je pourrais remettre la veste. »

Elle n'a pas pu lire plus de cinq pages du nouveau livre de Louise de Vilmorin.

« Je lui disais : "Toi, un poète, Louise, laisse-moi rire." Elle se fâchait. je la calmais : "Tu sais bien, ma chère, que je suis analphabète." »

D'un ancien mannequin, qu'on avait beaucoup vu avec Ali Khan :

« Elle est gentille. Je l'ai rencontrée dernièrement et je lui ai dit : "Vous ne venez plus nous voir, est-ce pour des raisons financières ou parce que vous n'aimez plus la Maison Chanel ?" Elle a répondu : "Pour des raisons financières." Son monsieur était parti en Argentine. Je lui ai dit : "Venez, j'ai deux robes qui me restent." Elle m'a sauté au cou. Quand son monsieur est revenu, elle est arrivée tout de suite et elle a acheté deux autres robes. J'ai trouvé ça gentil. Vous ne connaissez pas la bassesse des femmes. J'en connais qui n'ont pas tellement d'argent ; je leur fais des prix. Je les rencontre dans des soirées avec des robes de mes concurrents. Elles veulent du Balenciaga, parce qu'il est très cher. Il fait des choses horribles mais tout le monde sait que chez lui c'est très cher, alors ces dames veulent sortir avec une robe de Balenciaga sur le dos. »

Elle mesure l'importance de l'enjeu de la partie qui se joue. De gros capitaux soutiennent la mode yéyé, dit-elle.

« Les filles qui portent ça et dont le cinéma fait des vedettes auraient fait le trottoir autrefois. Elles tiennent le haut du pavé. »

Elle reprend l'arme dont elle se servait contre ses rivales à ses débuts : « Elles sont sales. »

Une vedette yéyé demandait que Coco lui prête une robe :

« Allez d'abord prendre un bain et laver vos cheveux. »

Elle s'assombrit lorsque je lui rappelle qu'elle trouvait tout démodé. Elle cherche, elle cherche, c'est pathétique. Le temps tombe sur elle comme le filet d'un gladiateur :

« Je *leur* dis : si vous ne m'aidez pas, je ne pourrai rien faire toute seule. »

Et pourtant, elle ne fera jamais rien avec quelqu'un d'autre. Quand elle se fatigue, une petite poche se gonfle au bout de la ride qui relie les narines aux commissures des lèvres. Elle rumine son critère de toujours : cette robe, est-ce que tu la porterais ? C'est donc l'enjeu, pour elle : faire une collection qui ne sera plus pour elle. Se dégager du Chanel, ne plus s'imposer. Est-ce possible ? Proposer autre chose, entrer dans le jeu des couturiers, tenter sa chance comme eux, dans leur loterie bisannuelle. Je ne pensais pas qu'elle en arriverait là.

On lui annonça que Cardin raccourcissait : « Tant mieux, on rira bien. J'ai vu une grande bringue qui montrait ses jambes jusque-là [à mi-cuisse]. Elles n'étaient pas laides, elles étaient inexistantes. Je pensais : ma fille, si tu crois que tu trouveras un imbécile pour t'épouser... Si j'avais une fille, il faudrait qu'elle ait les genoux rudement bien faits pour que je lui permette de les montrer. »

Comment lui expliquer que cette mode qu'elle qualifiait de yéyé était celle de la première génération de filles qui ne demandaient plus l'avis de leur mère pour quoi que ce fût et qui, par surcroît, tenaient à afficher leur *indépendance* ? « Pas une femme sur cent n'a de jolis genoux, disait Coco. En Amérique ils font des genoux en plastique qu'on glisse sous les bas. Bientôt tout sera en plastique. »

On arrivait en juillet.

« Je n'ai rien vu de plus laid que les robes courtes. On dirait que les femmes vont pleurer pour se faire donner un peu plus de tissu. Si je n'avais pas pris des engagements précis, je fermerais la Maison, je m'en irais. Mais je vais toujours au bout de mes entreprises. »

La collection s'annonçait archiclassique, mille pour cent Chanel :

« Dans mon petit domaine, j'essaie de faire ce qui m'amuse. Je me fous de ce monde, qu'ils achètent, qu'ils n'achètent pas… Si l'on pouvait enseigner aux gens un peu de nonchalance dont il ne faut jamais se départir. Qu'il y ait tout de même un peu de civilisation. »

Elle mesurait les risques :

« La Couture va mal, on ferme des ateliers. »

À Molyneux venu lui demander conseil, elle suggérait de faire du prêt-à-porter. « Que voulez-vous, mon cher, un jour les gens vous trouvent vieux jeu et c'est fini. Chez nous, on devrait licencier cinquante à cent ouvrières. Elles ne cessent pas de se plaindre. Avec les assurances sociales qui ont doublé, cela fait des centaines de millions. Souvent, j'ai envie de demander à nos chefs d'atelier : "Qu'est-ce qui est sorti de chez vous cette semaine ? Qu'avez-vous fait avec vos soixante-dix personnes. ?" Je sais pourquoi les gens disent que j'ai cent ans, les années de collection comptent double. Non seulement personne ne m'aide, on ne fait pas ce que je demande. Je leur dis : "Attention, si vous ne travaillez pas parfaitement, vous n'aurez plus rien chez Chanel. Si vous ne donnez plus la perfection, qu'est-ce que vous offrez ? Vous n'avez jamais rien inventé, pas même un ourlet, tout vient de moi, tout est toujours venu de moi." »

Elle descend tard au grand salon, pour travailler parce qu'elle voit mieux les tissus à la lumière électrique. L'atmosphère de la Maison devient lugubre. Mademoiselle sortait de table et de ses bavardages quand ses collaborateurs ou collaboratrices souhaitaient rentrer chez eux. Ne pouvait-elle travailler *normalement*? On organisait des roulements:

— Tu restes ce soir? Bonne chance.

— Il paraît qu'elle est arrivée toute souriante.

« J'ai engagé un nouveau tailleur, me disait Coco. Je lui ai dit: « Faites quelque chose pour me montrer ce que vous savez faire. » Il a mis des poches partout. Il a même mis un brin d'originalité dans ce qu'il voulait me montrer, mais il manquait la base, rien ne tenait. Je lui ai dit: "Mon ami, nous avons des bras, il faut pouvoir les remuer." Il ne comprenait pas. Les couturiers font des robes dans lesquelles on ne peut pas bouger et expliquent tranquillement qu'elles ne sont pas faites pour ça. Je prends peur quand j'entends des choses pareilles: Qu'arrivera-t-il quand personne ne pensera plus comme moi? Je le dis à mes filles: "Je vais mourir, écoutez-moi, je vous apprends quelque chose de très important. Ne faites pas ces têtes d'imbéciles." »

Vint le moment où elle me dit:

« Restez avec nous ce soir, vous nous regarderez travailler. »

Cela se passe dans le grand salon des défilés. Des rouleaux de tissu sur le parquet. Plein de bijoux sur des tables. Des boutons. Des rubans. Des plumes, tout cela à portée de main de Coco. Elle porte un tailleur beige, de voyage, précise-t-elle.

— Je ne peux plus en mettre un autre, je n'ai que des chaussures beiges.

Un jeune homme, avec une ombre de moustache, s'accroupit à ses pieds et ouvre des boîtes de carton qui contiennent des chaussures bleues, que Coco refuse d'essayer :

— Quelle horreur ! Ça s'accroche trop bas, c'est laid, c'est lourd. Prenez une de mes vieilles chaussures et faites la même chose.

— Bien, mademoiselle.

— Vous accrocherez ici et ensuite…

— Bien, mademoiselle.

Bien, mademoiselle, oui, mademoiselle, on n'entend que des approbations. Un coupeur malmené se révolte un tout petit peu. Coco l'achève :

— Vous me présentez un essayage qui n'est pas pour moi, c'est un essayage d'atelier. Regardez, ça vient de là, ici vous avez un paquet. Si vous faisiez ça…

Ses mains décharnées tirent sur le tissu qui craque. Coco ramène une épaisseur sur une autre, les mains passent et repassent dessus comme sur un mouchoir plié auquel on se prépare à donner un coup de fer. Tout cela sur un mannequin qui ne bronche pas, les yeux dans le vague ; le regard me fait penser à celui d'un cheval qu'on ferre. Un sourire passe parfois sur son visage inanimé, comme un rayon de soleil sur l'eau d'un étang, par temps gris. Coco remonte un bout de tissu, plante des épingles, redescend tout. Quand elle a rallongé ou raccourci, elle renvoie le mannequin sur le podium, à la sortie de la cabine, où elles apparaissent lors des présentations.

« C'est là que les clientes voient la robe. »

Elle passe le dos d'une main sur la poitrine du mannequin :

« Ce modèle devrait être plat et, voyez ! elle qui n'a pas de poitrine, on voit sa poitrine. »

Que pense le mannequin ? Pas de poitrine, moi ? Pauvre vieille… Si tu t'occupais plutôt de la tienne, etc.

« Je ne supporte pas qu'on voie la hanche, dit Coco, et regardez derrière, ça rebique. »

Une main glisse sur les fesses du mannequin : « Il faut que ça tombe. »

Elle prend un mètre, mesure la largeur du plastron, 15, pas tout à fait 15.

— Il faut donner du tissu, mais vous ne pouvez pas le faire parce qu'il n'y a rien.

— Si ! proteste le tailleur, héroïque. C'est là !

Elle, très sèche :

— Non, ce n'est pas là.

Elle examine des colliers accrochés sur le dos d'une chaise, puis des bas.

— Ce sont ces bas qui deviennent rouges lorsqu'on les lave ?

— Oui, mademoiselle.

— On n'en prendra plus.

Le calme de Coco me surprend.

« Quand je suis nerveuse, je ne descends pas, dit-elle. Je les empêche de travailler. »

Elle éprouve un faible pour un coupeur, Jean, bien rondouillard. Jean se jette à ses pieds alors que le modèle qu'il doit mettre au point avec Mademoiselle apparaît sur le podium :

— J'ai vu ! C'est trop long.

— Je vous fais peur ? demande Mademoiselle.

Il la ferait plutôt rire ; elle paraît gaie tout à coup. Elle fait signe au mannequin d'approcher de sa chaise. Elle défait une couture, tire sur une autre. Elle ne reste pas assise longtemps. Elle renvoie le mannequin :

— Allez relever vos cheveux !

Elle soulève la frange :

— Pourquoi cacher le visage ? C'est beau, un visage. Vous êtes très jolie sans vos cheveux, vous avez un front, un menton.

Sourire du mannequin: Merci, mademoiselle, et cause toujours, pauvre vieille.

« Le jersey est le tissu le plus difficile à travailler, dit Coco, c'est un tissu pauvre; vous pensez si je le sais! J'ai commencé avec ça. »

Elle harcèle encore le coupeur « maudit » dont elle ne dit pas le prénom:

— Pourquoi avez-vous pris de la percaline? Pour perdre du temps? J'ai fait venir des experts pour savoir pourquoi tout revient si cher. Je le sais: parce que vous présentez des choses aux essayages avant qu'elles soient prêtes, et vous faites la même chose avec les clientes. Vous mettez de la percaline quand il faudrait du gros grain. Il faut cinq essayages quand trois devraient suffire.

Coco portait au cou un cordon auquel était accrochée une paire de ciseaux: le grand cordon de l'ordre Chanel, en quelque sorte. Pour le bicentenaire des cristalleries de Baccarat, marqué par une exposition au Louvre, Coco, à la demande de son avocat Chambrun[1], accepta de décorer une coupe. Elle avait choisi comme motif les ciseaux; elle fut émerveillée par la gravure à la roue qui reproduisait son dessin. Elle demanda à René de Chambrun si elle pourrait revoir « sa » coupe, exposée à Baccarat. Il promit de la faire revenir. Deux jours après, elle était morte.

Elle s'amusait avec ses ciseaux en parlant d'un couturier; on pouvait penser qu'elle le châtrait:

« C'est un tel imbécile. Voici qu'il écrit des articles pour expliquer que la mode doit être un choc. Il croit que je le déteste. Pas du tout. Je l'ignore. Il donne des choses à des confectionneurs de la dernière catégorie pour faire du chiffre. »

---

1. Président des Verreries de Baccarat.

On lui avait glissé dans l'oreille que Dior présenterait trois cents modèles.

« Après le cinquantième, on ne voit plus rien. Ah ! ce métier est fichu. Je devrais m'en moquer mais pour la France, tout de même, quelle perte de prestige. Il y a quarante-cinq mille couturières en France. Elles lisent les magazines, et c'est fichu, elles font des horreurs. C'est la politique du général yéyé qui fait ça, on accumule les bombes et le reste on s'en moque. Avant vingt ans, les Chinois auront détruit tout ce qui les gêne. Les femmes s'amuseront bien. Elles n'auront plus d'enfants grâce à la pilule. À mon avis, quand un enfant arrive maintenant dans un couple qui n'est pas marié, le garçon devrait le prendre. Un enfant né de mère inconnue, c'est plutôt joli, c'est poétique, alors que né de père inconnu, c'est tout de même très embêtant, on voit ça sur vos papiers pendant toute votre vie, n'est-ce pas ? »

Elle suçait des pastilles à la menthe.

« Tous les fusils sont braqués sur moi », murmura-t-elle.

Je l'ai dit, ce ne fut pas la dernière collection de la Grande Mademoiselle. La présentation me parut longue, on s'ennuyait autour de moi. La presse pourtant fut bonne ; j'avais envoyé une chronique au Figaro dont la lecture enchanta Coco. Elle était accroupie en haut de l'escalier. Je grimpai chez elle pour lui dire que je l'admirais ; sans lui donner mes raisons, bien entendu, elle ne me l'aurait pas pardonné. Elle devenait un monstre attendrissant. Les cheveux très noirs ; elle faisait ses teintures elle-même. Amaigrie, dans un tailleur presque blanc bordé de rouge et de bleu, un foulard rouge, des bagues à ses doigts secs, des colliers. Plus de chaleur autour d'elle. Elle s'était arrêtée en remontant l'escalier aux miroirs.

— Toujours sur cette marche, remarqua-t-elle.

— On la connaît bien, cette marche, dit sa *première*.

Coco trouve son dernier compagnon : son maître d'hôtel

QUE RESTAIT-IL de la glorieuse constellation (Picasso, Diaghilev, Stravinski, Paul Morand, tant d'autres auxquels on peut ajouter Reverdy) qui gravitait autour de Mademoiselle Chanel après la Grande Guerre, quand elle finançait les Ballets russes, quand elle *entretenait* Stravinski, quand elle participait à des créations théâtrales ? Cocteau, il restait Cocteau, qu'elle couvrait de baisers quand il apparaissait et qu'elle accablait de sarcasmes quand il avait disparu.

« Jean, un poète ? On dit vraiment n'importe quoi. Parce qu'il avait un langage qu'*ils* pouvaient comprendre... Les vrais poètes étaient Supervielle et Reverdy. Penser qu'on ne parle même plus de Reverdy... Cocteau prenait la place des gens de talent, comme Reverdy. Il n'a jamais rien découvert. Il suivait. Cendrars aussi était un grand poète. Cocteau ! Laissez-moi rire. Pourquoi le défendez-vous ? Vous aimez *Difficulté d'être* ? Donnez-moi le livre, je vous retrouverai en quelques minutes tout ce qu'il a volé à d'autres. »

Irritée contre Cocteau, ce soir-là, elle évoqua la mort de Radiguet :

« Il est venu quelquefois, Radiguet. Il buvait énormément. Des Américains que j'ai fait déjeuner avec lui m'ont dit qu'ils n'avaient jamais vu un garçon de cet âge boire autant. Il est tombé malade. Cocteau est arrivé en pleurnichant. [Elle imitait Cocteau en train de sangloter, elle essayait de prendre sa voix.] “J'ai peur qu'il meure”, disait-il. Je lui ai donné un thermomètre.

“Écoute, Jean, tu vas aller le voir.” Il l’avait laissé dans un hôtel abominable. “Tu prendras sa température, de la bonne façon, tu mettras le thermomètre où il faut, tu le laisseras le temps qu’il faut, après quoi tu le remettras dans cette boîte que tu me rapporteras. Ne t’occupe de rien d’autre.” Je ne pouvais tout de même pas soigner Radiguet avant de savoir s’il était malade. Il avait 40. J’ai téléphoné à mon médecin. Il m’a dit : “Vous savez l’heure qu’il est ? Il est onze heures du soir. J’ai eu une longue journée, fatigante. J’enverrai mon assistant.” J’ai insisté, il a fini par dire qu’il irait, pour moi, mais qu’il emmènerait son assistant, qui me téléphonerait. J’ai bien compris que l’assistant irait seul voir Radiguet. J’ai demandé qu’il ne m’appelle pas trop tard. Moi aussi j’avais besoin de mon lit. Je ne connaissais pas tellement ce Radiguet mais je voulais qu’on le soigne. Je ne voulais pas qu’il soit très malade dans un hôtel sordide parce qu’il n’avait pas d’argent. Cocteau ne faisait rien, il pleurait. Il se sentait malade et voulait se coucher. Le docteur a vu tout de suite que Radiguet avait la typhoïde. On l’a transporté dans une clinique. Le docteur m’a déclaré qu’il fallait l’accord des parents. On aurait perdu un jour si on les avait cherchés. Le docteur m’a dit : “Vous prenez la responsabilité ?” Le père de Radiguet était journaliste. Sa mère est morte peu après, elle a attrapé la typhoïde, elle s’était couchée dans le lit de son fils. Je n’ai pas vu Radiguet. On m’a dit qu’il a soupiré “Enfin !” quand on l’a allongé sur le lit de la clinique. Enfin, on s’occupait de lui, enfin, on le soignait. Après sa mort, je me suis préoccupée de l’enterrement. Puisqu’il n’avait pas d’argent. J’ai fait porter des fleurs. Il y avait très peu de monde. Cocteau s’est mis au lit, avec des fleurs que j’avais envoyées sous son pyjama, il les voulait contre sa peau. Ah ! quelle horreur, ces pédérastes. »

Marie-Claire organisa un gala à l’Opéra, avec la Callas. Cocteau était à côté de Martine Carol dans sa loge.

« Il a compris ce soir-là que pour être vraiment quelqu'un, à Paris, l'argent était plus important que sa poésie », devait remarquer cruellement Coco.

L'argent plus important que le talent ? Elle me choquait profondément.

« Trouvez-vous que cette importance [celle de l'argent] a vraiment de l'importance ? »

Pas de réponse à une question qui lui paraissait idiote. Elle s'était imposée à ce monde-là, celui de l'argent, qui occupait évidemment l'Opéra en force lors de la soirée Callas. Soirée dont je me souviens quand je vois dans un film l'enfant Mozart jouer pour des princes, Beethoven faire antichambre chez un grand-duc, Schubert écrire une mélodie pour payer un cabaretier.

La couture n'est pas un art, c'est un commerce.

Et voici que je m'interroge : la férocité des jugements de Coco sur presque tout le monde était-elle inspirée par une « supériorité d'argent » ? Elle se repliait sur elle-même, elle refusait la plupart des invitations.

« J'ai donné mon petit costume de velours noir à une amie. Elle était folle de joie : "Vraiment, vous me le donnez ?" J'ai dit : "Je vous le donne, parce que ça me rend service. J'ai un ou deux dîners, j'aurai une excuse pour ne pas y aller." Je ne pourrai pas arriver dans un costume de tweed, ce serait de la provocation. Je ne veux plus sortir. Tous ces gens mangent à des heures impossibles, on se couche trop tard. Je n'aime pas la vie de la nuit, j'ai gardé le goût du sommeil et le besoin de dormir, cela me reste d'avoir grandi à la campagne.

Je deviens la femme qui ne va plus nulle part. Naturellement, on me recherche. Et pourquoi ? Pour me mettre sur des tas de mulots avec n'importe qui. Cravenne voudrait que je figure dans le Comité créé pour organiser les festivités du 80e anniversaire de

Maurice Chevalier. Ce vieux ! Moi qui le déteste, pourquoi m'occuperais-je de lui ? Il chante comme un pied des choses affreuses, *elle avait de tout petits tétons*, c'est immonde… Je vais dire à Cravenne : "Mon cher Georges, si vous n'avez pas d'argent, je vous trouverai deux clowns du Cirque d'Hiver qui feront leur numéro pour Chevalier qui n'est qu'un mauvais clown, je les paierai." Comme il me connaît mal. Il me donne les noms des gens du Comité, leurs altesses le comte et la comtesse de Paris, Mme Georges Pompidou, la Begum, le duc et la duchesse de Windsor, il y en a deux pages comme ça et je peux vous dire qui ira et qui n'ira pas. Picasso n'ira pas. Francine Weisweiller ira. Chaplin n'ira pas. La duchesse de Windsor ira. Elle n'a jamais payé une robe. Si elle me demandait de l'habiller, je dirais : "D'accord, à condition que vous ne le disiez à personne". Tout ça, ce sont des gens que je ne veux pas voir. On appelle ça des locomotives. Cravenne cherche des locomotives, après quoi il entraîne tout le monde en Irlande ou ailleurs et on ne fait plus rien à Paris. »

Et de raconter, les fêtes d'autrefois, qui obligeaient les belles dames à commander des robes, en ajoutant que, de toute façon, elle n'irait nulle part. Elle alla dîner à l'Élysée avec Jacques Chazot, chez le président Pompidou. Les de Gaulle l'ignoraient. « On n'a jamais vu une époque plus basse que celle de ce général yéyé », disait-elle. Le président Pompidou lui demanda si elle reviendrait.

« J'ai répondu : "Jamais, je n'aime pas cette maison." Il a dit : "Moi non plus." Je lui ai dit : "Mon cher, ce n'est pas la vôtre, mais vous pourriez la faire arranger. Êtes-vous allé au garde-meubles ? Vous y trouveriez des merveilles." *Ils* ne connaissent pas le garde-meubles. *Elle* veut une table comme la mienne, elle la fait faire avec des copeaux dorés sous du verre. Des meubles modernes, quand on peut avoir pour rien les plus beaux meubles du monde. Ça l'amuse, de vivre dans une clinique. Moi, je ne pourrai pas. Elle est très vivante. En Amérique, quand on a manifesté contre son mari, elle voulait boxer les gens. "On me crachait dessus !" disait-elle. "Mais non, ma chère, on faisait comme ça" [Coco crachotait du bout des lèvres]. Je connais les Américains. J'ai dit au président : "Quand on entreprend un tel voyage, on se renseigne." On ne voulait pas d'eux. Ils se sont imposés. Elle aurait voulu qu'il fasse le coup de poing. Je lui ai dit : "Ma chère, il aurait pu tomber sur un boxeur et vous auriez été bien ennuyée." Finalement, ils me touchaient, j'étais contente d'avoir vu l'Élysée. L'Élysée, c'est quoi ? La présidence de la République ? Est-ce que Pompidou est de droite ou de gauche ? Il me semble qu'un président de la République devrait avoir autre chose à faire que de recevoir Jacques Chazot et Mademoiselle Chanel. »

Par une nuit glaciale, en janvier 1969, prise d'une crise de somnambulisme, elle s'était promenée dans le petit jardin du Ritz ; elle le racontait :

« En pyjama de soie. J'ai descendu l'escalier de service.

J'avais sauté par-dessus le lit. Je l'avais fait baisser pour ne pas tomber de trop haut. Je me souviens du froid, c'est tout à fait exceptionnel ; en général on ne se souvient de rien. Je suis rentrée pour me mettre au chaud. Je me disais : il faut que tu aies très chaud, sinon tu es fichue. J'ai rapporté quatre ou cinq peignoirs de la salle de bain et je les ai mis sur mon lit. J'ai compris qu'il s'était passé quelque chose quand mon idiote de femme de chambre m'a parlé de ces peignoirs, au réveil. Ils étaient par terre. Je les avais rejetés après m'être réchauffée. Qu'est-ce que je vais devenir ? J'ai pensé à me reposer à l'Hôpital américain mais ces vieilles infirmières ignobles… À l'Hôtel Ritz, je ne peux faire coucher personne chez moi, j'ai ma chambre, une petite pièce pour m'habiller et la salle de bain. Ici ? À la Maison de Couture ? Quelle horreur ! Je ne mange même plus ici, je traverse la rue et je vais dîner au Ritz. »

Quand je passais la soirée avec elle, le téléphone sonnait de plus en plus rarement. Lors de nos dernières rencontres, personne ne l'appelait.

« Je ne sors plus. Pourquoi voir des gens qui ne m'intéressent plus du tout ? Hervé [Mille] venait me raconter leurs potins. Je lui ai dit : "Ça ne m'intéresse pas du tout." Il a dit : "Moi non plus." Je lui ai demandé pourquoi il continuait à fréquenter tout ce monde. Ils sont ignobles, tous. Je ne le verrai plus non plus. Tous les gens s'imaginent que j'existe pour donner de l'argent. »

« Il ne faut pas s'occuper de Paris, expliquait-elle, le visage fripé. « Il n'y a pas cent femmes à habiller en France, cent femmes qui paient leurs robes. S'il n'y avait que la France… »

Elle parle de l'*empire Chanel* : « C'est énorme, il faudrait quelqu'un sur qui je puisse m'appuyer. »

Le fils Wertheimer ? C'est un gamin (de quarante ans au moins). Pourquoi ne viendrais-je pas l'épauler ? Je n'entendais pas la question, qui me faisait bien rire en dedans.

« Je n'ai pas d'homme à la maison », soupirait-elle parfois.

Depuis quelque temps, le maître d'hôtel qui nous servait avait changé ; ce n'était plus François (Mironet, j'allais bientôt apprendre son nom).

« François s'occupe des bijoux, dit Coco, et maintenant, grâce à lui, on les vend. »

Elle lui avait demandé de ranger une pièce où une dame qu'elle aimait beaucoup faisait les bijoux. Elle était morte ; la pièce restait en désordre.

« Il y avait des chaînes dans les tiroirs, dit Coco. Du vivant de cette dame, je ne me serais pas permis de regarder dans les tiroirs. Je suis remontée dans la pièce pour voir ce que François en avait fait. J'ai vu trois colliers sur la table. "C'est vous, François, qui les avez faits ?" "Oui, mademoiselle, ça m'amuse beaucoup." »

Elle imitait François, modeste et timide.

« Eh bien, continuez. »

Version Coco. François racontait plus simplement comment, un soir qu'il la servait seule à sa grande table, elle lui avait demandé de retirer sa veste blanche et ses gants, de passer son veston et de s'asseoir en face d'elle pour partager son dîner. *Je n'ai pas d'homme à la maison.* Elle avait François, que l'on voyait prospérer à vue d'œil, sans devenir le moins du monde désagréable.

— Est-ce que monsieur François nous fera l'honneur ce soir de dîner avec nous ? demandait Coco.

— Non, mademoiselle, ce soir…

Il était pris. Puisque j'étais là, je ramènerais Coco au Ritz. François avait donc quartier libre. Ça n'arrivait pas souvent. Il était marié. Coco a-t-elle jamais vu sa femme ? Je ne le pense pas. Elle lui acheta un appartement afin qu'il puisse vivre plus près de son lieu de travail. Elle le meubla. Somptueusement, insinuaient certains. Elle emmenait François en Suisse. Un soir, il nous retrouva en bras de chemise, pour montrer un collier de gros rubis à Coco, en même temps qu'une copie, en fausses pierres. Lequel était le vrai ? Coco se trompa. Par gentillesse ? Par affection ?

« François est devenu un merveilleux bijoutier. J'ai passé ma vie à apprendre des choses à des gens qui ne savaient rien. François m'écoutait, il a appris beaucoup. C'est rare. Les gens d'en bas [ses tailleurs, ses premières], je n'ai pas réussi à leur enseigner quoi que ce soit en huit ans. »

Les vrais rubis lui avaient été offerts par le duc de Westminster, ce qu'elle évoquait ainsi :

« On m'a dit : "Regardez ce que l'on me propose, c'est une occasion, j'en ai profité pour vous l'offrir." J'ai donc accepté sans faire de manières. On m'a toujours tout donné, même ce que je ne voulais pas. »

Elle était turlupinée par la chemise de François qui bouffait au-dessus de la ceinture ; elle tira dessus, puis tapota sur son bedon.

En Suisse, François perdra quelques kilos.

Elle souriait. La présence de François la rassérénait.

« Il perd trois kilos, ça part de là [le visage] et aussi un peu de là [la bedaine]. Ça revient vite. »

Comment réagissait François ? Un bon visage rond, inspirant confiance. Le fils de paysans de Cabourg. Elle lui prêtait des livres.

« Il les lit. S'il ne les lisait pas, il me le dirait. Ah ! que c'est reposant d'avoir à faire à des gens qui sont tout simplement ce qu'ils sont, après tous ces menteurs, tous ces salauds de Paris. »

Elle se rendit en Hollande avec François, aux obsèques de son amie Maggie Van Zwuylen, dans un avion affrété par Guy de Rothschild, le gendre de la défunte

« Je lui ai dit : "il faut y aller, François". Il a dit : "Bien, mademoiselle". Il n'a pas fait d'histoire. Si vous saviez comme il se tient bien, dans toutes ces circonstances. »

Elle l'emmenait aux courses. Il était là quand elle avait vu son cheval gagner. Si elle ne rencontra pas la femme de François, elle souhaitait connaître sa mère, à laquelle il ressemblait, lui disait-on. *Coco*, son opérette, triomphait à New York ; il manquait la grande scène pour la fin d'une vie.

— François…

— Mademoiselle ?

— Ôtez vos gants, ôtez votre veste blanche… Je ne peux pas manger quand je suis seule, quand je n'ai personne en face de moi, je me demande ce que j'ai fait de ma vie, je ne sais plus si j'ai jamais été heureuse. Je n'ai jamais eu de temps à moi. J'ai beaucoup pleuré, j'ai été très malheureuse au milieu de grandes amours. Au fond de moi, alors que ma vie paraissait brillante, je me sentais misérable. Je ne tiens ni à la vie, ni à l'argent, je m'en fous, je m'en suis toujours foutu. Je manque complètement de caractère. Une seule chose a compté pour moi, la Maison Chanel que j'ai faite seule. Ce n'était pas une combinaison financière avec des banquiers derrière moi, ça n'a rien coûté à personne. On m'a accordé une garantie en banque que je n'ai jamais dépassée. J'ai tout fait, j'ai monté tout ça. J'ai gagné des fortunes, je les ai dépensées. J'ai inventé les parfums Chanel. On ne sait pas tout ce que j'ai inventé. Dans la Maison Chanel, personne ne pouvait m'embêter. Je demandais de l'argent quand j'en voulais. Je ne voyais que des sourires. Je n'aime pas les gens qui ne m'aiment pas, cela m'a aidée à me défendre dans la vie. Je vois tout de suite si on m'aime, et si ce n'est pas le cas, je m'en vais. Oh ! je ne demande pas qu'on m'aime, c'est un grand mot ; j'aime très peu de gens, ce que j'appelle aimer, c'est-à-dire se sentir dévoué corps et âme à quelqu'un. C'est très rare d'aimer comme ça. On peut avoir des contacts chaleureux, on peut avoir du plaisir. Quand j'ennuie les gens, je le sens. Je parle souvent avec véhémence, c'est mon côté méridional qui ressort. Comme à tous les timides, le silence me paraît insupportable ; je dis n'importe quelle bêtise pour le meubler, je parle, je parle, je saute d'une chose à l'autre pour ne pas laisser le silence s'établir. Personne ne le comprend. Les contacts humains sont de plus en plus difficiles.

Pas avec François. Il écoutait. Il faisait partie de la Maison Chanel, la forteresse du bonheur Chanel. Ce qu'il pensait de l'étonnante aventure qu'il vivait ? Il souriait.

« Il faut toujours garder un peu d'argent pour s'amuser », disait Coco.

Elle avait visité avec lui un appartement dans un immeuble en construction. Plus rien à vendre, les Américains prenaient tout. Avec une petite auto, François aurait mis dix minutes pour venir jusqu'à la rue Cambon.

— J'aurais avancé à François un peu d'argent qu'il m'aurait rendu ou pas.

Que Mademoiselle Chanel ait fait la fortune de François Mironet – en tout bien tout honneur, cela va de soi –, on ne pouvait en douter après sa mort. Elle lui avait confié la clef de son coffre. De façon plus que bizarre, on retrouva dans un livre de Coco revendu dans une librairie spécialisée un testament qui l'instituait légataire universel. Une instance judiciaire fut ouverte, qui tourna court. On s'arrangea à l'amiable.

François répondait à une exigence de présence ressentie par Coco. Un homme dans la maison. Et celui-là lui paraissait particulièrement bon, simple, affectueux. Un jour qu'elle s'apprêtait à partir pour la Suisse en voiture, il avait proposé de l'accompagner :

— Cela m'ennuie de vous savoir seule, mademoiselle.

Elle restait marquée par cette impulsion, quand elle m'en avait parlé. Par surcroît, François, en l'écoutant, en devenant son bijoutier, formé par elle, lui apportait la preuve qu'elle restait elle-même, un monument, et cela même si on ne le visitait plus. La presse la négligeait, comme si elle n'avait plus rien à donner que des redites, et voici qu'elle apportait encore tout à quelqu'un qui n'avait rien. François comblait sa solitude, elle lui accordait une importance qui la justifiait à ses yeux. Elle pouvait continuer. Écoutons-la parler des bijoux :

« Je me fous des bijoux. Ils n'apportent rien, ils n'ajoutent pas à la joie de vivre. Les femmes en général tiennent à en avoir. On ne leur en donne pas. Moi qui n'y tenais pas du tout, on m'en a donné beaucoup. Il fallait que je dise : "Non, merci, j'ai assez de bijoux ; que voulez-vous que j'en fasse ?"

Je suis couverte de colliers, de chaînes, de broches et de pierres de toutes les couleurs, et on ne me comprend pas quand j'affirme que je n'aime pas les bijoux. Ce que je n'aime pas, c'est la pierre pour la pierre, le diamant bouchon de carafe, signe extérieur de la richesse du mari ou de l'amant. Je n'aime pas non plus le bijou pour le bijou, le clip en diamants, le rang de perles que l'on sort du coffre pour un dîner et que l'on remet à sa place ensuite, et qui souvent appartient à une société anonyme. Tout ça, ce sont des bijoux-qu'on-peut-vendre-en-période-de-crise, des bijoux pour les riches ; je ne les aime pas.

Il faut beaucoup de bijoux quand on en porte. S'ils sont vrais, c'est ostentatoire et de mauvais goût. Ceux que je fais sont faux et très beaux ; ils sont même plus beaux que les vrais.

Les bijoux marquent une époque ; j'aimerais que la mienne reste marquée par les bijoux Chanel. Elle le sera ! Je pense aux femmes qui, grâce à moi, portent des fortunes qui ne valent rien. J'ai demandé à l'un de mes mannequins si elle avait une idée de ce que coûterait ce qu'elle portait au cou si c'était vrai. C'étaient des émeraudes qui valaient, fausses, 20 000 francs. Vraies, il eût fallu six ou sept cents millions[1]. Savez-vous comment les joailliers appellent les bijoux en or, avec des brillants ? Les bijoux de guerre.

---

1. Anciens francs.

Le bijou est un ornement. Certains des miens sont tellement beaux que j'en suis épatée ; ça devient somptueux, tout à fait byzantin. Pourquoi est-ce que tout ce que je fais devient byzantin ?

Si j'enlevais tous mes bijoux, en quoi serais-je changée ?

Je ne m'attache pas à un bijou, pas plus qu'à une maison.

Mais cette petite bague est mon talisman. Je suis née au mois d'août. Mon talisman, c'est l'or et la topaze.

Dans la rue, on ne doit porter que du faux. Les vrais bijoux on les met chez soi pour se faire plaisir, de temps en temps. »

Pour faire ses bijoux, assise sur le bord de son canapé, elle tripotait une boule de plastique (on pensait à du chewing-gum) avant de l'aplatir sur sa table chinoise, très basse (un peu comme une pâte à tarte étalée au rouleau). Devant elle, des boîtes ou des bols remplis de pierres de toutes dimensions, vraies ou fausses. Elle les plaçait dans la pâte en tenant uniquement compte de l'effet produit. Elle possédait des émeraudes et des rubis magnifiques, mais elle aimait tout autant des rubis roses du Siam ou des saphirs clairs de Ceylan qui valaient moins cher, et des topazes :

« Il n'y a pas plus joli qu'une topaze, cette eau dorée. »

Le duc de Westminster lui avait offert une parure d'émeraudes entourées de diamants : la bague, les boucles d'oreilles, un bracelet, le collier et, dans des écrins semblables à ceux de la parure, deux bracelets avec des émeraudes indiennes, des rubis sang-de-pigeon, des saphirs du Cachemire. Il lui arrivait de mettre ces deux bracelets

« C'est ridicule, sur moi. (En soupirant) Il va falloir que je démonte tout cela. »

Elle l'avait fait. Les pierres allaient dans les bols et dans les boîtes.

« J'ai fait de fausses perles pour ne pas porter les miennes. On me trouvait plus jolie avec ça, j'ai pensé : il faudrait que toutes les femmes puissent en porter. J'ai cherché des gens pour en faire des masses ; je les ai trouvés. J'ai gagné des fortunes avec les perles et des fortunes avec les autres bijoux, j'aurais des milliards si j'avais mis tout ça de côté. »

De l'humour ? Peut-être, peut-être.

Ultime victoire : un triomphe d'outre-tombe

« Pour moi, la seule chose passionnante qui puisse encore m'arriver, c'est de mourir. »

Des choses qu'on dit. Avant de rendre son dernier souffle, le dimanche soir 10 janvier 1971, Coco protesta :

« C'est comme ça qu'*ils* vous laissent crever. »

Qui ? Elle avait le visage couvert de larmes, affirmait sa femme de chambre, qui la déshabillait. François et Lilou Grumbach n'étaient pas là. Ils jouaient souvent aux cartes ensemble, en attendant qu'elle s'endorme.

« Notre présence la rassurait, mais l'empêchait aussi de dormir », expliquait François.

Le lendemain de sa mort, le petit appartement du Ritz sentait l'hôpital. La famille montait déjà la garde. Elle souhaitait que personne ne la voie, répétait sa *nièce* Tiny Labrunie. Qui pouvait se flatter de connaître ses volontés pour après ? Elle vivait dans l'éternité Chanel, qui commençait et finissait avec elle. Elle avait dit à François et à Lilou :

« Si je meurs, emmenez-moi en Suisse. Vous me mettrez au fond de la voiture, entre vous. Si on vous interroge à la douane, vous direz : c'est Mademoiselle Chanel, ne faites pas attention, elle est gâteuse. Et ne faites pas de bêtise, je serai proche de vous, dans une autre dimension. »

En Suisse on est à l'abri ; ça restait gravé dans la tête de Coco. L'argent conservait ses pouvoirs, en Suisse, il ne se dévaluait pas, il assurait l'indépendance même après la mort : au cimetière de Lausanne, elle avait retenu la place de quatre morts, un désert autour d'elle pour garantir sa tranquillité. La sécurité.

On ne peut pas comprendre Mademoiselle Chanel sans la situer dans son temps, marqué par les privilèges de la naissance et de l'argent, issus du droit divin. Elle avait subi ces conventions, elle en avait souffert, mais elle les acceptait, et quand elle se hissa hors de la pauvreté, elle en profita comme si elle était née privilégiée.

Savait-elle son heure proche ? Comment expliquer l'impatience qu'elle manifestait de confirmer sa revanche ? À plusieurs reprises, le bruit de sa mort avait couru dans les salles de rédaction. Je la voyais plus souvent :

« Vous revenez demain ? Je serai à l'heure, je sais que vous ne pouvez pas attendre, vous partirez quand vous voudrez, et réfléchissez à la proposition que je vous ai faite. »

Rien de moins, je l'ai dit, que de diriger la Maison Chanel avec elle. Diriger… Être à sa disposition. Que répondre ? Je ne demandais qu'à l'aider à proclamer sa victoire. Car elle triomphait encore. Sa longueur s'imposait, contre le mini.

« Finalement, c'est “elle” qui gagne », avait admis Marc Bohan.

Par rapport à l'année précédente, les ventes grimpaient de 30 %. Une petite robe noire archi-simple devenait un enjeu pour les acheteurs du monde entier. J'avais suggéré de la faire photographier pour *Paris-Match* sur Catherine Deneuve et sur Marlène Dietrich. À New York, un sondage de *Women's Wear* consacrait le Chanel. Les grands confectionneurs de la Troisième Avenue avaient perdu des centaines de millions de dollars en suivant les *folies* du mini. Coco avait découpé l'article, elle le sortait de son sac, elle le montrait comme un brevet de noblesse :

« Pourquoi ne le disent-*ils* pas ici, en France ? »

Ils, ses ennemis, et d'abord les journalistes de mode. Elle triomphait pour la France. Quand nous déjeunions, elle n'avait rien d'une moribonde. Au restaurant du Ritz, à sa table à la lisière de la grande salle, elle surveillait les Américaines qui rentraient à l'hôtel par la rue Cambon, souvent après un arrêt au bar. Parfois, l'une d'elles venait lui parler, escortée de son mari fumeur de cigares, qui expliquait qu'il voulait bien payer pour sa femme chez Chanel, mais pas ailleurs. Coco était aux anges. Elle commandait du riesling pour moi, et des huîtres ; elle *épluchait* un œuf dur, elle enlevait le blanc comme on épluche une pomme de terre.

La veille ou l'avant-veille de Noël, elle me demanda de passer chez elle après mon émission de radio, en fin d'après-midi.

« Je vous montrerai les nouveaux modèles. »

Elle l'avait dit avec tant d'assurance qu'en la quittant je m'étais informé auprès des premières :

« Est-ce que la date de la collection est avancée ? »

Pas du tout, fin janvier, comme toujours. En le précisant, on laissait entendre par un regard éloquent : « Vous savez bien qu'elle raconte un peu n'importe quoi en ce moment. » Dans la tête de Coco, la collection était prête. Lorsque je suis revenu, ce soir-là, vers sept heures, la Maison dormait dans la pénombre, mais Coco n'avait pas oublié notre rendez-vous. Elle m'attendait. François ? Il achetait des jouets pour ses enfants. Nous étions retournés au Ritz, elle souhaitait qu'on la voie, heureuse de soulever une curiosité profitable à la Maison.

« Je suis plus célèbre qu'avant la guerre, disait-elle, maintenant, les gens du peuple me connaissent ! »

Un monument. *Coco, it's Coco!* Cela se disait aussi en allemand et en espagnol ; pas encore en japonais.

Elle était partie de la Maison en imperméable, un foulard noir sous le col de l'imperméable et un foulard rouge avec son *costume*. Dans l'escalier aux miroirs, elle avait enlevé son chapeau en imitant Jacques Chazot en scène :

« Il se met d'un côté, il salue. »

Elle soulevait son chapeau :

« Il va de l'autre côté en saluant encore. »

On voyait une touffe blanche parmi ses bouclettes trop noires.

« Lifar rigole quand il voit Chazot. À soixante-dix ans, Serge fait deux heures d'exercice par jour. Il donne des spectacles partout. Au Caire, tout le monde lui a parlé en russe. Les Russes sont installés, ils ont tout. Les chauffeurs de taxis ne parlent plus que le russe, c'est la seule langue étrangère que l'on connaisse encore en Égypte. Un peu d'anglais aussi, mais le français… »

Son chapeau. Les cheveux.

« Il ne faut pas avoir trop de cheveux. J'ai un mannequin qui veut conserver son chignon. Je lui ai donné le choix : la Maison ou le chignon. Elle gardera ses cheveux qui sont superbes. Son mari doit l'aimer ainsi. »

Elle s'est brouillée avec sa femme de chambre.

« Je l'ai sonnée à neuf heures. Elle m'a dit : à neuf heures, je dors encore, mademoiselle. On dit que les gens du peuple sont gentils, pas du tout, ils détestent "les autres". J'ai renvoyé cette femme de chambre. Je n'en trouverai pas une autre comme elle, tant pis. Deux heures après, elle était dans le couloir à supplier : "Laissez-moi m'occuper de Mademoiselle jusqu'aux collections." Le directeur lui a dit : "Non, je n'interviendrai pas pour vous. Quand on a la chance de servir Mademoiselle Chanel, on la mérite. Je lui ai déjà trouvé quelqu'un." Malheureusement, la nouvelle ne sait rien. Je jette mon linge ; je ne vais pas porter du linge sale, il faut qu'on le ramasse et qu'on le lave, je ne vais pas le faire moi-même. Tout est resté par terre, j'ai tout retrouvé à la même place le soir, quand je suis rentrée. »

La femme de chambre [l'autre, qu'on avait renvoyée] détestait Lilou :

« Mademoiselle lui donne des costumes, et jamais rien à moi. » « Ma pauvre fille, vous voyagez avec moi, je ne vais pas vous donner à porter le même costume que moi, vous n'y pensez pas. » « Elles sont folles. Vous nous voyez, moi et ma femme de chambre, dans le même costume ? Lilou a donné des cadeaux à tout le monde, sauf aux personnes qui auraient dû en recevoir. J'ai demandé qu'on note tout ce qu'elle a donné et qu'on le déduise de son compte. Je ne demande pas de reconnaissance mais je ne supporte pas l'ingratitude. Je ne veux plus la voir. »

Elle parlait encore du dîner à l'Élysée.

« Je n'admire pas les gens qui sont au pouvoir. Mais ceux-là ont de la bonne volonté. »

La satisfaction que lui refusa Mme de Gaulle en ignorant Chanel, Mme Pompidou la lui offrit en paraissant à Notre-Dame en Chanel, pour la messe solennelle des funérailles du général de Gaulle. Coco avait tout suivi à la télévision :

« Je l'ai vu quatre fois. Les Anglais vieillissent mal. »

Elle n'avait pas tout de suite reconnu Anthony Eden.

« Ils boivent trop, tous. Moi qui les connaissais parce qu'ils venaient chez moi lorsque j'avais quelque chose à me faire expliquer, je ne les remettais plus. »

Très vieillie, charbonneuse, la bouche d'un rouge presque indécent, accentué par la couleur lie-de-vin de sa blouse. Ses mains fondaient ; des mains décharnées de fakir en jeûne permanent. Je la revois en Indienne Jivaro avec une toute petite tête mangée par des yeux immenses. Cecil Beaton lui demandait une robe pour le musée du Costume, à Londres.

— Il veut simplement la donner à une femme.

— Mais non, Coco, il faut la lui envoyer, c'est une bonne histoire pour les journaux.

— Il a raté les costumes de l'opérette, tout le monde me l'a dit.

Deux jours avant sa mort, j'avais consacré une partie de mon éditorial (à la radio) à sa *revanche*.

« Mademoiselle Chanel sort victorieuse de la guerre livrée à son style. Elle fait triompher sa longueur, qui permet de s'asseoir *honnêtement*. »

On lui avait apporté un transistor au grand salon, où elle arrangeait des modèles. Elle écoutait mon émission pour la première fois.

Il y avait relativement peu de célébrités du Tout-Paris à son enterrement, à la Madeleine. Pierre Balmain accompagnait Juliette Achard. On voyait surtout Chazot, qu'elle aimait beaucoup. Hervé Mille se demandait ce qu'elle penserait du *spectacle*.

« C'est une enfant de Dieu, elle est baptisée, a dit le curé. Elle était croyante à sa manière. »

Il loua la pudeur Chanel. L'église ne débordait pas. Une croix de fleurs blanches portait le nom de François. Il avait veillé Coco. La famille ne l'avait pas écarté. Il partait pour Lausanne avec le fourgon mortuaire. J'avais noté : « J'ai le sentiment que Chanel n'est pas morte et que quelque chose commence pour elle. »

Après l'adieu de la Madeleine, les mannequins et les cousettes rentrèrent lentement rue Cambon où l'inquiétude remplaçait la crainte. On pleurait Mademoiselle avec sincérité, en découvrant le vide qu'elle laissait. Pour moi, j'allais faire sa connaissance.

Table

Impression réalisée sur CAMERON par

La Flèche
en octobre 2008

Imprimé en France
N° d'impression : 49612
Dépôt légal : octobre 2008